COLECCIÓN
LECTURAS CLÁSICAS GRADUADAS

La Celestina

Fernando de Rojas

Nivel III

GRUPO DIDASCALIA, S.A.
Plaza Ciudad de Salta, 3 - 28043 MADRID - (ESPAÑA)
TEL.: (34) 914.165.511 - FAX: (34) 914.165.411

Director de la colección:
A. González Hermoso

***

Adaptadores de *La Celestina:*
E. Cano e Í. Sánchez-Paños

***

La versión adaptada sigue la edición de *La Celestina,* de Fernando de Rojas.
Ediciones Cátedra, S. A., edición de Dorothy S. Severin, 1994.

Primera edición: 1996
Primera reimpresión: 1999
Segunda reimpresión: 2000
Tercera reimpresión: 2001

Dirección y coordinación editorial:
Pilar Jiménez Gazapo
Adjunta dirección y coordinación editorial:
Ana Calle Fernández

Diseño de cubierta, maquetación:
Departamento de Imagen EDELSA
Fotocomposición: Fotocomposición Crisol, S.A.
Fotografía portada: J. R. Brotons
Filmación: Fotocomposición Crisol, S.L.
Imprenta: Intigraf

© 1996, EDITORIAL EDELSA grupo Didascalia, S. A.

I.S.B.N.: 84-7711-126-X
I.S.B.N. (de la colección): 84-7711-103-0
Depósito legal: M-2416-2001
Impreso en España
Printed in Spain

Desde los primeros momentos del aprendizaje del español, el estudiante extranjero se siente atraído por los grandes nombres de la literatura en español, pero, evidentemente, no puede leer sus obras en versión original.

De ahí el objetivo de esta colección de adaptar grandes obras de la literatura en lengua española a los diferentes niveles del aprendizaje: elemental, intermedio, avanzado.

En todos los títulos hay:

- Una breve **presentación** de la vida y obra del autor.

- Una **adaptación** de la obra con las características siguientes:
    - mantener los elementos importantes de la narración y la acción;
    - conservar todo lo más posible las palabras y construcciones del autor según el nivel (I, II, III) de la adaptación;
    - sustituir construcciones sintácticas y términos léxicos que sean difíciles o de poco uso en la actualidad.

- Una **selección** de partes significativas de la obra en su **versión original**. El lector, una vez leída la adaptación, puede seguir así los momentos principales del relato.

- La **lista de palabras** de la obra adaptada, agrupando en la misma entrada a las de la misma familia léxica. El lector puede elaborar así su propio diccionario.

- Una **guía de comprensión lectora** que ayuda a elaborar la **ficha resumen** de la lectura del libro.

Y en algunos títulos hay:

- Una casete audio que permite trabajar la comprensión oral.

- Una casete vídeo en versión original que complementa la lectura.

La colección de **Lecturas clásicas graduadas** pretende que el lector disfrute con ellas y que de ahí pase a la obra literaria íntegra y original.

L
a
C
e
l
e
s
t
i
n
a

El autor

La Celestina es, casi con toda seguridad, obra de dos autores. Uno, desconocido, escribió el primer acto; Fernando de Rojas escribió los demás.

Fernando de Rojas nació en 1476 (?) en La Puebla de Montalbán (Toledo, España), donde vivió de 1502 a 1507.

Sabemos muy poco de su vida, que transcurrió en ese momento de transición del siglo XV al XVI, que abre una etapa extraordinariamente fructífera de la cultura española.

Estudió leyes en la Universidad de Salamanca entre 1492 (?) y 1502. Reinaban en España los Reyes Católicos, y se respiraba ya el espíritu de renovación con que comienza la Edad Moderna.

Murió en Talavera de la Reina (Toledo), donde había vivido desde 1507, en 1541.

La obra

La *Tragicomedia de Calisto y Melibea* (título de la edición de 1502) se conoce con el nombre de *La Celestina* desde la edición de 1519.

No se sabe cuándo se editó por primera vez; las cuatro ediciones más antiguas que se conservan son las siguientes:

- la de 1499 (Burgos), con dieciséis actos;

- la de 1500, aunque quizás es anterior (impresa en Toledo), también con dieciséis actos;

- la de 1501 (Sevilla), en la que se dice que el autor es Fernando de Rojas, que encontró el primer acto escrito y escribió los otros quince en medio mes de vacaciones; y

- la de 1502 (Sevilla), primera que contiene los veintiún actos que son la redacción definitiva.

El tema de *La Celestina* es muy simple. El valor dramático es, sin embargo, extraordinario, gracias a la realidad de los personajes, que viven y actúan siempre como seres de carne y hueso, según sus pasiones y sus sentimientos. Nunca se ve la mano del autor.

Por su valor literario y por su fuerza trágica, *La Celestina* es una de las obras más importantes de la literatura española y, desde luego, obra maestra europea de finales del siglo xv.

De *La Celestina* se han hecho infinidad de ediciones, traducciones, adaptaciones y versiones teatrales (siempre de muy difícil puesta en escena) y cinematográficas.

La presente adaptación

La Celestina está escrita en un español que hoy es difícil de entender, no sólo por el vocabulario, sino también por el orden de las palabras, la estructura de la frase. En esta adaptación para lectores extranjeros, basada en las principales ediciones críticas de los últimos años, hemos seguido los siguientes criterios:

- simplificar la sintaxis, manteniendo, sin embargo, tanto los giros y expresiones que se emplean aún hoy en día, como aquéllos que una lectura atenta y reflexiva permite entender (descubrir sigue siendo uno de los placeres de la buena literatura);

- conservar el vocabulario, actualizando la ortografía;

- conservar los veintiún actos de la obra original, suprimiendo el argumento o resumen que figura al comienzo de cada acto en las ediciones íntegras;

- eliminar sistemáticamente las referencias y comparaciones con la mitología y la literatura clásica grecolatina, en las que el autor se apoya para dar fuerza a las argumentaciones de sus personajes;

- mantener lo más posible el sabor a texto antiguo.

Al principio, hemos tenido necesariamente que acumular muchas más notas aclaratorias que al final. La lectura de los primeros actos resultará sin duda más difícil. Pero, poco a poco, el lector irá acostumbrándose al estilo propio de *La Celestina* (que hemos querido conservar lo más posible), y podrá ir entendiéndolo todo, disfrutando de la alegría de descubrir tanto lo que el autor dice con claridad como aquello que sabe ocultar entre líneas. Precisamente esto es una de las claves de la popularidad de la obra. Dejar *La Celestina* excesivamente fácil sería un pecado contra la literatura. Nos guía el íntimo anhelo de espolear en los lectores extranjeros el deseo de leer la obra completa...

Obra Adaptada

Primer Acto

[1] *huerta:* terreno destinado al cultivo de hortalizas y árboles frutales.
[2] *halcón:* ave que se utiliza para cazar.

(Calisto entra en una huerta[1] siguiendo a su halcón[2]; ve a Melibea, se enamora y empieza a hablarle.)

Calisto.- Veo, Melibea, que Dios es grande.

Melibea.- ¿Por qué, Calisto?

Calisto.- Porque te ha hecho perfectamente bella, y a mí me permite verte en este lugar y decirte mi amor. Los santos que ven a Dios no son más felices que yo ahora. Pero ellos no temen perder a Dios, y yo temo que tu ausencia me va a causar mucho dolor y mucha pena.

[3] *atrevimiento:* aquí, falta de vergüenza.
[4] *torpe:* poco hábil.

Melibea.- Tu atrevimiento[3] loco y tus palabras merecen ese dolor y esa pena, Calisto. Vete, vete de aquí, torpe[4]. Una mujer como yo no puede dejar que un corazón humano le diga su amor.

Calisto.- ¡Sempronio, Sempronio, Sempronio! ¿Dónde estás? ¿Por qué sales de la sala? ¡Anda, anda, abre la habitación y prepara la cama!

Sempronio.- Señor, ya está hecho.

Calisto.- Cierra la ventana, mi tristeza no puede ver la luz.

Sempronio.- ¿Qué ocurre?

Calisto.- ¡Vete! ¡No me hables! O te mato con mis manos antes de morir yo.

[5] *seso:* cerebro, capacidad de pensar.
[6] *más vale:* es mejor.

Sempronio.- Me voy, si quieres estar solo con tu mal. ¿Por qué ha perdido este hombre la alegría y, con ella, el seso[5]? ¿Lo dejo solo? Si lo dejo, se mata; si entro, me mata. Más vale[6] que muera él, que está triste, que yo, que soy feliz y deseo vivir para ver a mi Elicia. Pero si

[7] *testigo:* persona que presencia un hecho.
[8] *dar cuenta:* explicar.
[9] *consolación:* aquí, alivio de las penas.
[10] *consejo:* opinión que una persona da a otra para ayudarla.
[11] *suspiro:* toma y expulsión de aire con la que se expresa tristeza.

él me mata y no hay testigos[7], yo tengo que dar cuenta[8] de su vida. Quiero entrar. Pero él no quiere consolación[9] ni consejo[10]: no quiere sanar. Voy a dejar que suspire y llore; he oído decir que los suspiros[11] y las lágrimas mucho alivian el corazón dolorido. Pero también dicen los sabios que es bueno tener a alguien para poder hablar de las penas. Lo más sano es entrar y consolarlo.

Calisto.- ¡Sempronio! Canta la canción más triste que sepas. Que melibeo soy, a Melibea adoro, en Melibea creo, a Melibea amo.

Sempronio.- Melibea es grande y no cabe en el corazón de mi amo. No necesito más explicaciones: yo te sanaré.

[12] *no tener orden ni consejo:* carecer algo de arreglo o solución.

Calisto.- Prometes una cosa increíble. ¿Qué consejo puede servir para lo que no tiene orden ni consejo[12]? No me dejes, Sempronio. ¿Qué piensas de mi mal?

Sempronio.- Que amas a Melibea.

Calisto.- ¿No amas tú a tu amiga Elicia?

Sempronio.- Haz tú lo que bien digo y no lo que mal hago. A los que son más fuertes que ellas quiero que sigas, y no a los que ellas vencen. ¡Huye de sus engaños!

[13] *inconveniente:* dificultad, obstáculo.

Calisto.- Más me dices y más inconvenientes[13] me pones, y más la quiero. No sé qué es.

Sempronio.- Miserable cosa es pensar que es maestro el que nunca fue discípulo.

Calisto.- Y ¿tú qué sabes? ¿Quién te enseñó?

[14] *digno:* que merece lo mejor.

Sempronio.- ¿Quién? Ellas. Piensa que eres más digno[14] de lo que crees.

Calisto.- ¿Quién soy yo para eso?

Sempronio.- ¿Quién? Lo primero, eres hombre, y con ingenio. Y más: con hermosura, gracia, fuerza. Y además de esto, tienes fortuna[15] y todos te aman.

15 fortuna: bienes de una persona.

Calisto.- Pero no Melibea. Y en todo lo que me has dicho, Sempronio, Melibea es más que yo.

Sempronio.- Pero tú, por ser hombre, eres más digno.

Calisto.- ¿En qué?

Sempronio.- En que ella es imperfecta, y por ese defecto te desea a ti y a otro menor que tú. ¿No has leído al filósofo que dice: "La mujer necesita al varón[16]"?

16 varón: hombre.

Calisto.- ¡Oh, cuándo veré yo eso con Melibea!

Sempronio.- Cuando la veas con otros ojos, libre del engaño en que ahora estás.

Calisto.- ¿Con qué ojos?

Sempronio.- Con ojos claros. Ahora ves con ojos de alinde[17]: lo poco te parece mucho, y lo pequeño grande. Y para que no te desesperes[18], yo voy a conseguir que se cumpla tu deseo.

17 ojos de alinde: ojos de aumento.
18 desesperar: perder la esperanza de que se realice lo que se desea.

Calisto.- Qué alegría es oírte, pero no espero que lo hagas. ¿Cómo has pensado hacerlo?

Sempronio.- Yo te lo diré. Hace mucho tiempo que conozco a una vieja que se llama Celestina. A las peñas[19] más duras hará caer en lujuria[20], si quiere.

19 peña: piedra, roca.
20 lujuria: deseo sexual exagerado o vicioso.

Calisto.- ¿Puedo hablar con ella?

Sempronio.- Yo la traeré. Prepárate: sé gracioso, sé franco[21]. Estudia cómo decirle tu pena, mientras voy; ella te dará el remedio[22].

21 franco: aquí, directo, sincero.
22 remedio: solución.

Calisto.- ¿Por qué tardas?

Sempronio.- Ya voy. Quede Dios contigo.

Calisto.- Y contigo vaya. ¡Oh, Dios todopoderoso! Humildemente te pido que guíes a Sempronio, para que mi pena y tristeza sean gozo.

Celestina.- ¡Alegría, alegría, Elicia! ¡Sempronio, Sempronio! ¡Hijo mío! ¡Rey mío! Dame otro abrazo. ¿Y tres días has podido estar sin vernos? ¡Elicia, Elicia! ¡Aquí está!

Elicia.- ¿Quién, madre?

Celestina.- ¡Sempronio!

Elicia.- ¡Ay, qué saltos me da el corazón! ¿Dónde está?

Celestina.- Aquí, mira. Yo lo abrazo, y no tú.

[23] *traidor:* desleal.

Elicia.- ¡Ay, traidor[23]! ¡Ay, ay!

Sempronio.- ¡Hi! ¡Hi! ¡Hi! ¿Qué tienes, mi Elicia? ¿Por qué te apenas?

Elicia.- Tres días hace que no me ves.

Sempronio.- ¡Calla, señora mía! ¿Tú piensas que la distancia puede apagar el amor, el fuego que está en mi corazón? Donde yo voy, conmigo vas, conmigo estás. ¡Calla, Dios mío! Pero no quiero ahora a mujer nacida. A mi madre quiero hablar. Adiós.

Elicia.- ¡Anda, anda! ¡Vete y pasa otros tres años sin verme!

[24] *manto:* capa que se pone sobre los hombros.
[25] *provecho:* bienestar, ganancia.

Sempronio.- Madre mía, toma el manto[24] y vamos, que por el camino sabrás lo que voy a decirte para tu provecho[25] y el mío.

Celestina.- Vamos. Elicia, quédate y adiós. Cierra la puerta.

Sempronio.- ¡Oh, madre mía! Quiero que sepas que jamás deseé ningún bien, si tú no ganabas algo.

Celestina.- Di, no te detengas, que la amistad que entre tú y yo existe no necesita más explicaciones. Ven al hecho, que es inútil decir con muchas palabras lo que con pocas puede entenderse.

Sempronio.- Así es. Calisto arde en amores[26] de Melibea. De ti y de mí tiene necesidad.

Celestina.- Me alegro de estas noticias, como los cirujanos[27] se alegran de los descalabros[28]. ¡Bien me entiendes!

Sempronio.- Callemos, que a la puerta estamos y, como dicen, las paredes tienen oídos[29].

Celestina.- Llama.

Sempronio.- Tha, tha, tha.

Calisto.- ¡Pármeno! ¡No oyes, sordo[30]! Llaman a la puerta; corre.

Pármeno.- ¿Quién es?

Sempronio.- Abre.

Pármeno.- Señor, Sempronio y una puta[31] vieja alcoholada[32] daban aquellos golpes.

Calisto.- Calla, calla, que es mi tía. Corre, corre, abre.

Pármeno.- ¿Piensas, señor, que causa dolor en las orejas de ésta el nombre que le di? No lo creas; que le gusta oírlo, como tú cuando dicen: "Buen caballero es Calisto". Y cosas peores le dicen. Si alguien va y dice: "¡Puta vieja!", sin molestarse vuelve la cabeza y responde con alegre cara. En las fiestas, en las bodas, en todas las reuniones de gentes, con ella pasan tiempo. Y hasta los perros lo ladran, las aves lo cantan, los ganados lo balan[33], los burros lo rebuznan[34]: "¡Puta vieja!" Las ranas de los charcos[35] no suelen cantar otra cosa. Todos los oficios lo dicen con el ruido de sus instrumentos. ¿Qué quieres más? Si una piedra toca con otra, suena: "¡Puta vieja!".

Calisto.- Y ¿tú cómo lo sabes y la conoces?

[26] **arder en amores:** amar apasionadamente, desear mucho a alguien.
[27] **cirujano:** médico.
[28] **descalabro:** aquí, herida.

[29] **las paredes tienen oídos:** es decir, que no se sabe quién puede estar escuchando.

[30] **sordo:** que no puede oír.

[31] **puta:** mujer que gana dinero vendiendo su cuerpo.
[32] **alcoholada:** con los ojos pintados

[33] **balar:** emitir su voz algunos animales, como los corderos o las cabras.
[34] **rebuznar:** emitir su voz el burro.
[35] **charco:** agua que se queda acumulada sobre la tierra después de haber llovido.

[36] *perfume:* sustancia de olor agradable.
[37] *era maestra en pomadas y en virgos:* es decir, que arreglaba y cosía los virgos de las mujeres para hacer creer que eran vírgenes.
[38] *alcahueta:* mujer que prepara encuentros amorosos.
[39] *hechicera:* bruja, mujer que practica la magia.
[40] *ama:* señora que tiene sirvientes o criados que trabajan para ella.
[41] *pecado:* falta cometida contra la religión.
[42] *embajador:* persona que representa oficialmente a un país.
[43] *virgen:* que no ha tenido relaciones sexuales.

[44] *envidia:* defecto o vicio que consiste en desear lo que otros tienen o son.
[45] *tener en menos:* considerar menos importante algo.

[46] *Y no más:* aquí, y no sigamos hablando.

[47] *hacer que:* disimular, fingir para engañar a alguien.

Pármeno.- Vas a saberlo. Mi madre, mujer pobre, vivía cerca de Celestina, y me envió como sirviente a su casa. Pero ella no me conoce, por el poco tiempo que estuve y por los cambios que la edad ha hecho. Yo, de aquel poco tiempo, recuerdo casi todo. Tiene esta buena señora, al otro lado de la ciudad, en la cuesta del río, una casa medio caída. Ella tenía seis oficios: cosía, hacía perfumes[36], era maestra en pomadas y en virgos[37], alcahueta[38] y un poquito hechicera[39]. El primer oficio era para ocultar los otros: muchas mozas entraban en su casa a coserse y a coser camisas y otras muchas cosas. Todas le traían algún regalo. Y era lo más importante que, por medio de las sirvientas, comunicaba con las amas[40]. Y a éstas también vi entrar en su casa. Tras ellas, hombres que entraban allí a llorar sus pecados[41]. En su casa hacía perfumes y aguas para oler. Sacaba aceites para el rostro. Cosía virgos y hacía maravillas, que cuando vino por aquí el embajador[42] francés, tres veces vendió por virgen[43] a una criada que tenía. Y también tenía mil cosas para consolar amores. Venían a ella muchos hombres y mujeres. Y todo era engaño y mentira.

Calisto.- Bien está, Pármeno; déjalo para otra ocasión. Ya estoy avisado, te doy las gracias. Vamos. Pero te pido, Pármeno, que no impidas, por envidia[44] de Sempronio, el consuelo que ha ido a buscar para mi vida. No pienses que tengo en menos[45] tu consejo que su trabajo.

Pármeno.- ¿Por qué dudas de mi fidelidad y mi servicio? ¿Cuándo me viste, señor, tener envidia?

Calisto.- No te escandalices, que te tengo en mi pensamiento... Y no más[46]; vamos.

Celestina.- (Oigo pasos. Ya bajan. Sempronio, haz que[47] no lo oyes. Escucha, y déjame hablar.

Sempronio.- Habla.)

Celestina.- Ya veo que sientes mucho la pena de tu amo Calisto. Yo no vine aquí para dejar este negocio sin sanar.

Calisto.- Pármeno, para. Escucha lo que hablan éstos. ¿Oíste? ¿Tengo razón? ¿Qué me dices?

[48] *apresurarse:* hacer algo rápidamente.
[49] *fingidamente:* disimuladamente.

Pármeno.- Porque me lo pides, hablaré. Ten cuidado y no te apresures[48]: te han visto o te han oído bajar por la escalera, y ahora hablan fingidamente[49].

Sempronio.- (Celestina, mal suena lo que Pármeno dice.

Celestina.- Calla y déjame tú a Pármeno, que yo lo haré de los nuestros; vamos a darle parte de lo que ganemos. Ganemos todos. Yo te lo traeré manso[50].)

[50] *manso:* tranquilo.

Calisto.- ¡Sempronio!

Sempronio.- ¿Señor?

Calisto.- ¿Qué haces? Abre. ¡Oh, Pármeno! ¡Ya la veo! ¡Sano soy, vivo soy! ¡Oh, salud de mi pasión! Deseo llegar a ti, quiero besar esas manos llenas de remedios. Desde aquí adoro la tierra que pisas y la beso.

[51] *necio:* tonto, simple.

Celestina.- (Sempronio, dile al necio[51] de tu amo que cierre la boca y comience a abrir la bolsa; que dudo de las obras y más aún dudo de las palabras.)

Pármeno.- (¡Ay de las orejas que esto oyen! Perdido y ciego está Calisto. ¡Y está adorando a la puta vieja! No es capaz de recibir ningún consejo.)

Calisto.- ¿Qué decía la madre? Me parece que pensaba que le ofrecía palabras para no darle una recompensa.

Sempronio.- Eso oí.

Calisto.- Pues ven conmigo; trae las llaves, que yo sanaré su duda.

Sempronio.- Bien harás, vamos. Que no debe crecer la hierba entre los panes[52], ni la sospecha[53] en los corazones de los amigos.

Calisto.- Bien hablas. Vamos, no tardemos.

[54] *voz ronca:* voz grave.
[55] *punta de la barriga:* alusión a los órganos sexuales masculinos.

Celestina.- Me gusta, Pármeno, que tengamos oportunidad para que conozcas cuánto te amo, y la parte que en mi corazón tienes. La virtud nos empuja a no dar mal por mal. Bien te oí. Debes saber, Pármeno, que Calisto anda en mal de amores. No creas por eso que está débil, porque el amor todas las cosas vence. Y debes saber, si no lo sabes, que dos conclusiones son verdaderas: la primera, que el hombre debe amar a la mujer y la mujer al hombre; la segunda, que el que verdaderamente ama es necesario que pierda el seso con la dulzura del amor; y así lo quiso Dios, para que no desaparezcan de este mundo los hombres. Acércate aquí, que no sabes nada del mundo ni de sus placeres. ¡Pero que mal dolor me mate si no te enseño cosas, aunque soy vieja! Que la voz tienes ronca[54] y la barba empieza a crecerte. ¡Poco tranquila debes tener la punta de la barriga[55]!

[56] *alacrán:* escorpión pequeño.

Pármeno.- ¡Como cola de alacrán[56]!

Celestina.- Peor aún, que ésta muerde sin hinchar, y la tuya hincha por nueve meses.

Pármeno.- ¡Hi! ¡Hi! ¡Hi!

Celestina.- ¿Te ríes, hijo?

Pármeno.- Calla, madre, no pienses mal de mí. Amo a Calisto porque le debo fidelidad, porque me trata bien. Lo veo perdido y sin esperanza por los consejos y las razones del bruto de Sempronio. No puedo sufrirlo. Lo digo y lloro.

Celestina.- Pármeno, ¿no ves que es tontería o simpleza llorar por lo que no se puede remediar llorando? Tu amo podrá sanar. Y eso está en mano de esta flaca vieja.

Pármeno.- ¡Más que de esta flaca vieja, será de esta puta vieja!

Celestina.- ¡Putos días vivas! ¿Cómo te atreves...? ¿Quién eres tú?

Pármeno.- ¿Quién soy? Pármeno, hijo de Alberto. Estuve contigo un mes cuando vivías en la cuesta del río.

Celestina.- ¡Jesús, Jesús, Jesús! ¿Tú eres Pármeno, hijo de la Claudina? ¡Pues mal fuego te queme, que tan puta vieja era tu madre como yo! ¿Por qué me persigues, Parmenico? ¡Él es, él es, por los santos de Dios! Ven acá, que mil azotes[57] te di en este mundo, y otros tantos besos. ¿Te acuerdas cuando dormías a mis pies?

Pármeno.- Sí. Y algunas veces me subías a la cabecera[58] y me apretabas contra ti, y porque olías a vieja me separaba de ti.

Celestina.- ¡Basta! Dejemos estas cosas; oye ahora, hijo mío, y escucha. Cuando tu madre te dejó conmigo, aún vivía tu padre. El cual murió sin saber qué iba a ser de tu vida y persona; pero antes envió por mí, y en secreto me encargó y me dijo que, cuando tengas edad suficiente, te descubra dónde dejó encerrada una cantidad de oro y plata que es más que todo lo que tiene tu amo Calisto. Y como se lo prometí, buscándote he gastado ya bastante tiempo y dinero, hasta ahora, que te he encontrado aquí, donde sólo hace tres días que sé que vives. Ahora, hijo mío, deja las fuerzas de la juventud y vuelve a la razón. Descansa en alguna parte. ¿Y dónde mejor que en mi voluntad y mi consejo? Y yo, como verdadera madre tuya, te digo que sirvas por el momento a tu amo, hasta que yo te dé otro consejo. Y gana amigos. Muy bueno será para ti que seas amigo de Sempronio.

Pármeno.- Celestina, tiemblo de oírte. No sé qué hacer: por una parte, te tengo por madre; por otra, tengo a Ca-

[57] *azotes:* golpes de castigo.

[58] *cabecera:* en la cama, lugar en que se pone la cabeza.

listo por amo. Deseo riquezas; pero no quiero bienes mal ganados. Pues yo con ellos no estaré contento. Y más te digo: que no son pobres los que poco tienen, sino los que mucho desean. Y por eso no te creo. Quiero pasar la vida sin envidia y el sueño sin sobresaltos[59].

Celestina.- ¡Oh, hijo! La fortuna ayuda a los osados[60]. Y además, ¿quién puede vivir sin amigos? ¡Oh, si quieres, Pármeno, qué bien estaremos juntos! Sempronio ama a Elicia, prima de Areúsa, hija de Eliso.

Pármeno.- ¿Cierto?

Celestina.- Cierto.

Pármeno.- Maravillosa cosa es. No hay cosa mejor.

Celestina.- Pues si quieres, aquí está quien te dará gran alegría.

Pármeno.- No creo a nadie, madre. No me atrevo. ¡Déjame!

Celestina.- De corazón enfermo es no poder sufrir el bien. Dios le da pan a quien no tiene dientes[61].

Pármeno.- ¡Oh, Celestina! He oído decir a mis mayores[62] que los ejemplos de lujuria o de avaricia[63] mucho mal hacen. Y Sempronio, con su ejemplo, no me hará mejor. Y si yo a lo que dices finalmente me inclino, sólo yo quiero saberlo, para que quede oculto el pecado.

Celestina.- Sin prudencia hablas: ninguna cosa es alegre si no es en compañía. En especial, para volver a contar las cosas de amores: esto hice, esto me dijo, así la tomé, así la besé, así me mordió, así la abracé... Mira que la prudencia y la experiencia sólo están en los viejos; y los viejos somos llamados padres; y los buenos padres buenos consejos dan a sus hijos, y en especial yo a ti.

Pármeno.- Temo, madre, recibir dudoso consejo.

[59] *sobresalto:* susto, sorpresa.

[60] *osado:* atrevido, valiente.

[61] *Dios le da pan a quien no tiene dientes:* es decir, que quienes más cosas tienen son precisamente los que no pueden o no saben usarlas.

[62] *mayores:* aquí, se refiere a los padres y abuelos.

[63] *avaricia:* falta o vicio que consiste en querer tener muchos bienes.

Celestina.- ¿No quieres, Pármeno? Pues me despido de ti y de este negocio.

Pármeno.- (Dudo de su consejo. Malo es no creer, y malo es creerlo todo. Pero es humano confiar. He oído que el hombre debe creer a sus mayores. ¿Qué me aconseja ésta? Paz con Sempronio. La paz no debe negarse. Pues voy a oírla.) ¡Madre! Perdóname, háblame. Que no sólo quiero oírte y creerte, sino también recibir tu consejo. Por eso manda, que haré lo que me digas.

64 errar: equivocarse.

Celestina.- De los hombres es errar[64], y de las bestias es seguir en el error. Por eso, Pármeno, me alegra que así respondas. Pero callemos, que se acercan Calisto y tu nuevo amigo Sempronio.

Calisto.- Recibe, madre, este pobre regalo de quien la vida pone también en tus manos.

Celestina.- Sin duda, el regalo, cuando llega pronto, dobla su efecto.

Pármeno.- (¿Qué le dio, Sempronio?

Sempronio.- Cien monedas de oro.

Pármeno.- ¡Hi! ¡Hi! ¡Hi!

Sempronio.- ¿Habló contigo la madre?

Pármeno.- Calla, que sí.

Sempronio.- Y ¿cómo estamos?

Pármeno.- Como tú quieras, aunque estoy con miedo.)

Calisto.- Ve ahora, madre, y consuela tu casa; después ven y consuela la mía.

Celestina.- Quede Dios contigo.

Calisto.- Y Él te guarde.

Segundo Acto

Calisto.- Hermanos míos, cien monedas le di a la madre. ¿Hice bien?

Sempronio.- ¡Ay, sí, hiciste bien! Vas a remediar tu vida y has ganado mucho buen nombre. ¡Oh, qué glorioso[65] es dar! ¡Oh, qué miserable es recibir! Es más noble[66] quien da que quien recibe. Goza de haber sido, así, magnífico y liberal[67]. Y sigue mi consejo: vuelve a tu habitación y reposa, porque tu negocio está en buenas manos. Ten por seguro que, como el comienzo ha sido bueno, el fin será mejor.

Calisto.- Sempronio, no me parece buen consejo quedar yo acompañado y que vaya sola la que busca el remedio de mi mal. Mejor será que vayas con ella y le metas prisa, pues sabes que de ella dependen mi salud, mi pena y mi poca esperanza. Por buen criado te tengo. Haz que, al verte ella a ti, entienda el fuego que me atormenta[68].

Sempronio.- Señor, quiero ir y cumplir tu orden; pero temo mucho dejarte solo.

Calisto.- Sempronio amigo, si sientes mi soledad, llama a Pármeno; él quedará conmigo. No te alejes de ella, Sempronio, ni me olvides a mí, y ve con Dios.

Calisto.- Pármeno, ¿qué te parece lo que hoy ha pasado? Mi pena es grande; Melibea, alta; Celestina, sabia y buena maestra en estos negocios. No podemos equivocarnos. Así que más quiero dar a ésta cien monedas, que a otra cinco. No bajes la cabeza al responder. ¿Qué dices?

Pármeno.- Digo, señor, que estarían mejor empleadas tus monedas en presentes[69] y servicios a Melibea, que en hacerte prisionero de Celestina.

[65] *glorioso:* digno de honor y alabanza.
[66] *noble:* digno de ser estimado y respetado.
[67] *liberal:* aquí, generoso.

[68] *atormentar:* hacer sufrir.

[69] *presente:* aquí, regalo, ofrecimiento.

Calisto.- ¿Cómo su prisionero, loco?

Pármeno.- Porque a quien dices tu secreto, le das tu libertad.

Calisto.- ¡Algo dice el necio! Pero quiero que sepas que cuando hay mucha distancia entre el que ruega y el rogado, como entre mi señora y yo, es necesario alguien que suba de mano en mano mi mensaje hasta los oídos de Melibea. Dime si te parece bien lo hecho.

[70] *neblí:* ave que se emplea para cazar.
[71] *hacienda:* casa y terrenos que posee una persona.
[72] *trotaconventos:* alcahueta.

Pármeno.- Digo, señor, que nunca un error viene solo. Perderse el otro día el neblí[70] fue la causa de tu entrada en la huerta de Melibea; la entrada, causa de verla y hablarle; del habla vino el amor; del amor, tu pena; la pena será causa de que pierdas tu cuerpo, tu alma y tu hacienda[71]. Y lo que más siento es que todo venga de manos de aquella trotaconventos[72].

Calisto.- Sin sentido estás, sin pena hablas; no te duele donde a mí, Pármeno.

[73] *airado:* enfadado.
[74] *reprender:* regañar.
[75] *arrepentirse:* lamentarse de algo que se ha dicho o hecho.
[76] *condenar:* imponer un castigo a alguien.
[77] *bellaco:* ruin, malvado.

Pármeno.- Señor, más quiero que airado[73] me reprendas[74], que arrepentido[75] me condenes[76] porque no te di consejo. Perdiste el nombre de libre cuando dejaste prisionera tu voluntad.

Calisto.- ¡Palos quiere este bellaco[77]! Di, mal criado, ¿por qué dices mal de lo que yo adoro? Todo el consuelo que Sempronio trae con sus pies, tú lo apartas con tu lengua. Mejor estaría yo solo que mal acompañado.

[78] *avivar:* hacer más vivo, dar más fuerza.

Pármeno.- Señor, desaparecerá el velo de la ceguera; pasarán estos momentos de fuego; sabrás que mis duras palabras son mejores que las blandas de Sempronio, que avivan[78] tu fuego y tu amor, encienden tu llama, añaden leña y te llevarán a la sepultura.

Calisto.- ¡Calla, calla, perdido! Estoy yo triste y tú filosofando. No espero más. Que saquen un caballo, lo lim-

[79] *cincha:* cuerda o trozo de cuero que pasa por debajo del caballo para sujetar la silla de montar.

[80] *espuela:* rueda o estrella metálica que se pone en el talón para hacer andar al caballo.

[81] *estribo:* aquí, pieza de apoyo para poner el pie al montar a caballo.

pien mucho y le aprieten bien la cincha[79], por si paso por casa de mi señora.

Pármeno.- ¡Mozos! ¿No hay mozos en casa? Yo tendré que hacerlo, que a peores cosas vendremos que a ser mozos de espuelas[80].

Calisto.- ¿Viene ese caballo? ¿Qué haces, Pármeno?

Pármeno.- Señor, aquí está.

Calisto.- Pues ten el estribo[81], abre más esa puerta. Y si viene Sempronio con aquella señora, diles que esperen, que pronto estaré de vuelta.

Pármeno.- ¡Con el Diablo! ¡Oh, desdichado de mí! Por ser leal padezco mal. Otros ganan por malos, yo pierdo por bueno. ¡El mundo es así! A los traidores llaman sabios y a los fieles, necios. Quiero de ahora en adelante hacer lo que hace la gente. Si él dice: "Comamos", yo también; si quiere quemar su hacienda, iré por fuego. Dé a Celestina lo suyo, que yo tendré mi parte.

Tercer Acto

Celestina.- ¿A qué vienes, Sempronio, hijo?

Sempronio.- Nuestro enfermo no sabe qué pedir. Teme que irás lenta porque te dio muy poco dinero.

Celestina.- La paciencia no es la cosa más propia de los que aman. Quieren ver las cosas terminadas antes de empezadas. Sobre todo los amantes nuevos, que vuelan sin pensar en el daño que su deseo puede traer a sus sirvientes.

Sempronio.- ¿Qué dices de sirvientes? ¿Es que nos puede venir a nosotros daño de este negocio de los amores de Calisto? Si te parece, madre, guardemos nuestras personas de peligro y ganemos cuanto podamos. Pero todo pasa y todo se olvida, todo queda atrás. Y así será este amor de mi amo por Melibea.

Celestina.- Bien has dicho, contigo estoy. No podemos equivocarnos. Pero todavía, hijo, son necesarios algunos negocios.

Sempronio.- Haz tu voluntad, que no será éste el primer negocio que haces. Dime, madre, ¿qué hablaste con mi compañero Pármeno cuando subí con Calisto por el dinero?

Celestina.- Le dije cómo ganaría más con nuestra compañía que con las buenas palabras que le dice a su amo; le recordé quién era su madre, para que no diga nada malo de mi oficio sin tropezar primero en ella.

Sempronio.- ¿Tantos días hace que lo conoces, madre?

Celestina.- Aquí está Celestina, que lo vio nacer y ayudó a criarlo. Su madre y yo éramos uña y carne[82]. De ella

[82] *ser uña y carne*: estar muy compenetradas y unidas dos personas.

aprendí lo mejor que sé de mi oficio. Yo contaré ahora a su hijo entre los míos.

Sempronio.- ¿Cómo has pensado hacerlo?

Celestina.- Haré que tenga a Areúsa. Será de los nuestros.

Sempronio.- ¿Crees que podrás alcanzar algo de Melibea?

[83] *Quédate a Dios:* fórmula de despedida de aquella época, de la que viene el *adiós* actual.

[84] *cacarear:* lanzar su voz repetidamente el gallo o la gallina.

[85] *hilado:* trabajo hecho con hilo.

Celestina.- Melibea es hermosa; Calisto, loco y franco; ni a él le dolerá gastar, ni a mí andar. Todo lo puede el dinero. Pero ahora, voy a casa de Pleberio. Quédate a Dios[83]. Que aunque esté brava Melibea, no es ésta la primera a quien yo he hecho perder el cacarear[84]. Todas son iguales. No sabré decirte lo mucho que hace en ellas el sabor que les queda de los primeros besos de quien aman. Y todas son enemigas del medio; siempre están en los extremos: o aman mucho o tienen gran odio. Y sé que, aunque primero yo le pida a ella, luego ella va a pedirme a mí. Aquí llevo un poco de hilado[85] y otras cosas para poder más fácilmente entrar por primera vez donde no soy muy conocida.

[86] *celosa:* aquí, vigilante de los actos de Melibea.

Sempronio.- Madre, mira bien lo que haces. Piensa en su padre, que es noble y trabajador; su madre, celosa[86] y fuerte; tú, la misma sospecha. Melibea es única para ellos.

[87] *comer pan con corteza:* tener experiencia.

Celestina.- ¡Cuando tú naciste, ya comía yo pan con corteza[87]!

Sempronio.- No te maravilles, madre, de mi temor, pues es propio de la condición humana que lo que mucho se desea jamás se piensa ver terminado. Sobre todo, porque espero mejor fin en mi negocio que en la pena de mi amo. Y así, veo más inconvenientes por mi poca experiencia, que tú como maestra vieja.

Elicia.- ¡Dios mío, Sempronio! ¡Quiero hacer una raya en el agua[88]! ¿Qué novedad es ésta, venir hoy dos veces?

Celestina.- Calla, boba, déjalo, que otro pensamiento más importante tenemos. Dime, ¿está desocupada la casa? Pues sube rápido al sobrado[89] y baja el bote del aceite de serpiente[90], que está colgado de la cuerda que traje del campo la otra noche, cuando llovía y hacía oscuro. Y abre el arca[91], y, hacia la mano derecha, hallarás un papel escrito con sangre de murciélago[92]. Ten cuidado, no derrames el agua de mayo que me trajeron para que la preparara.

Elicia.- Madre, no está donde dices. Jamás te acuerdas de dónde guardas las cosas.

Celestina.- No me castigues en mi vejez, por Dios, no me maltrates, Elicia. No presumas porque está aquí Sempronio, que más me quiere a mí por consejera que a ti por amiga, aunque tú lo ames mucho. Entra en la habitación de los ungüentos[93], y lo hallarás donde te mandé meter los ojos de la loba[94]. Y baja la sangre del cabrón[95] y unas poquitas de las barbas que tú le cortaste.

Elicia.- Toma, madre, aquí están. Sempronio y yo nos subimos arriba.

Celestina.- Te conjuro, triste Plutón[96]... Yo, Celestina, tu más conocida cliente, te conjuro por la virtud y fuerza de estas rojas letras; por la sangre del ave con que están escritas; por la gravedad de estos nombres y signos que este papel contiene; por el veneno de las víboras[97] con que este aceite fue hecho, con el cual impregno este hilado: ven sin tardar a obedecer mi voluntad hasta que Melibea lo compre y quede enredada[98], de modo que, cuanto más lo mire, más se ablande su corazón para conceder lo que le pido, y ame con fuerte amor a Calisto. Y otra y otra vez te conjuro. Y me voy con mi hilado, donde creo que te llevo ya envuelto.

[88] *hacer una raya en el agua:* expresión popular que significa hacer una cosa imposible; aquí, indica gran sorpresa.
[89] *sobrado:* parte más alta de las casas antiguas, donde se guardan cosas viejas o que no se utilizan con frecuencia.
[90] *serpiente:* reptil de gran tamaño, que puede ser venenoso.
[91] *arca:* caja con cierre para guardar cosas de algún valor.
[92] *murciélago:* especie de ratón con alas, que vive en lugares oscuros y vuela.
[93] *ungüentos:* pomadas, cremas para darse sobre la piel.
[94] *lobo:* mamífero carnívoro, semejante al perro.
[95] *cabrón:* mamífero herbívoro, que tiene cuernos.

[96] *Plutón:* dios de los infiernos.
[97] *víbora:* pequeño reptil venenoso, de mordedura muy peligrosa.
[98] *quedar enredado:* aquí, quedar atrapado, sin voluntad.

Cuarto Acto

Celestina.- Ahora que voy sola, quiero mirar bien por qué Sempronio ha sentido temor. Porque las cosas que no son bien pensadas tienen casi siempre efectos no queridos. Aunque yo he disimulado con él, podía terminar mis pasos pagando con la vida, o mandándome azotar cruelmente. ¡Amargas cien monedas serían éstas! ¡Ay, pobre de mí! ¡En qué lío me he metido! ¿Qué haré, que ni salir afuera es provechoso, ni seguir dentro carece de peligro? Si me descubren robando, me condenan; si no voy, ¿qué dirá Sempronio? Y su amo Calisto ¿qué dirá?, ¿qué hará?, ¿qué pensará? ¡Mal aquí, mal allá; pena en ambas partes! Irse hacia lo más sano es lo mejor. Prefiero ofender[99] a Pleberio que molestar a Calisto. Quiero continuar, porque muy grande es la vergüenza de parecer cobarde. Ya veo su puerta. En mayores dificultades me he visto. ¡Ánimo, ánimo, Celestina! ¡No abandones! Ni he tropezado, ni me molestan las faldas, ni siento cansancio al andar. Y lo mejor de todo es que veo a Lucrecia a la puerta de Melibea. Prima es de Elicia; no me será contraria.

Celestina.- ¡Paz sea en esta casa!

Lucrecia.- Celestina, madre, bienvenida seas. ¿Cómo es que te trajo Dios por estos barrios[100]?

Celestina.- Hija, mi amor. El deseo de veros a todos vosotros. Traerte noticias de Elicia, y ver a tus señoras, la vieja y la moza. Que desde que me mudé[101] a otro barrio, nunca había venido a visitarlas. Y también, como soy vieja y tengo necesidades, sobre todo yo que debo mantener hijas que no son mías, quiero vender un poco de hilado.

[99] *ofender:* molestar, faltar a alguien el respeto que se le debe.

[100] *barrio:* parte determinada de una población.

[101] *mudarse:* aquí, irse de un lugar para ir a vivir a otro.

Lucrecia.- Siempre quieres ganar algo. Pero mi señora la vieja tiene una tela y necesita lo que tú quieres vender. Entra y espera aquí.

Alisa.- ¿Con quién hablas, Lucrecia?

[102] *cuchillada:* marca en la piel, que queda como resultado de una antigua herida de cuchillo.

Lucrecia.- Señora, con aquella vieja de la cuchillada[102] en la cara, que vivía en la cuesta del río.

Alisa.- No la conozco.

Lucrecia.- ¡Jesús, señora! Muy conocida es esta vieja. No sé cómo no tienes memoria de la que vendía las mozas a los abades[103] y descasaba mil casados.

[103] *abad:* autoridad de la Iglesia en un monasterio.

Alisa.- No sé quién es; dime su nombre, si lo sabes.

Lucrecia.- ¡Me da vergüenza!

Alisa.- Anda, boba, dilo. No me indignes con tanto tardar.

Lucrecia.- Celestina es su nombre.

Alisa.- ¡Hi! ¡Hi! ¡Hi! Ya me voy acordando de ella. ¡Una buena pieza! No me digas más. Algo vendrá a pedirme. Dile que suba.

Lucrecia.- Sube, tía.

Celestina.- Señora, la gracia de Dios sea contigo y con tu noble hija. Mis pasiones y enfermedades me han impedido visitar tu casa; pero la necesidad me hace ahora cumplir mi deseo de verte: necesito algo de dinero y no sé mejor remedio que vender un poco de hilado. Aquí está.

Alisa.- Vecina, si el hilado es bueno, te lo pagaré bien.

Celestina.- ¿Bueno, señora? Así sean mi vida y mi vejez. Delgado como el pelo de la cabeza, igual, blanco como la nieve, hecho todo por estos dedos. Aquí lo tienes. Tres monedas me daban ayer por él.

Alisa.- Hija Melibea, quédate con esta buena mujer, que me parece que ya es tarde para ir a visitar a mi hermana, que desde ayer no la he visto. Melibea, dale a la vecina todo lo que sea razonable darle por el hilado. Y tú, madre, perdóname, que otro día podremos vernos más.

[104] *mesón:* lugar en el que se puede comer y beber.
[105] *posada:* lugar en el que se puede pasar la noche.

Celestina.- Señora, no hay perdón cuando no hay falta. En buena compañía me quedo. Dios la deje gozar su noble juventud. Que la vejez es sólo mesón[104] de enfermedades, posada[105] de pensamientos, recuerdo de lo pasado, pena de lo presente, tristeza de lo porvenir, vecina de la muerte.

Melibea.- Dime, madre, ¿eres tú Celestina, la que solía vivir junto al río?

Celestina.- Señora, hasta que Dios quiera.

Melibea.- Bien dicen que los días no se van en balde. Sólo te reconozco por esa señal de la cara. Pareces otra, muy cambiada estás.

Lucrecia.- (¡Hi! ¡Hi! ¡Hi! ¡Muy cambiado está el diablo!)

Melibea.- ¿Qué hablas, loca? ¿Qué es lo que dices? ¿De qué te ríes?

Lucrecia.- De que no conocías a la madre en tan poco tiempo.

Melibea.- No es tan poco tiempo dos años; y más, que tiene la cara arrugada.

Celestina.- ¿No has leído, señora, que dicen: vendrá el día que en el espejo no te conozcas?

Melibea.- Celestina, amiga, me ha gustado mucho verte y conocerte. Toma ahora tu dinero y vete con Dios, que me parece que aún no has comido.

Celestina.- ¡Oh, perla preciosa! Alegría me da verte hablar. ¿Y no sabes que no sólo de pan viviremos? Sobre to-

V. O. nº 3 en pág. 110

[106] *en ayunas:* sin comer nada.

[107] *cuarto:* aquí, medida de capacidad para los líquidos; se usaba en especial para el vino.

[108] *gentilhombre de clara sangre:* alusión a la nobleza, según criterio de la época, de Calisto.

do yo, que suelo estar uno o dos días en ayunas[106], arreglando negocios de otros. Y, si tú me lo permites, te diré la causa de mi venida, que es otra que la que hasta ahora has oído.

Melibea.- Di, madre, lo que necesitas, que si yo lo puedo remediar, de muy buena gana lo haré.

Celestina.- ¿Lo que necesito yo, señora? Lo que otro necesita, como tengo dicho. Que con mi pobreza jamás me faltó, a Dios gracias, una moneda para pan y un cuarto[107] para vino.

Melibea.- Pide lo que quieres, sea para quien sea.

Celestina.- ¡Doncella graciosa! Hay un enfermo cerca de la muerte que con una sola palabra de tu noble boca está seguro de que sanará.

Melibea.- No te entiendo, vieja. Poco me has dicho. Soy feliz si hace falta mi palabra para la salud de algún cristiano. Pide, no temas, dime ya quién es ese enfermo.

Celestina.- Es, señora, un caballero de esta ciudad, gentilhombre de clara sangre[108], que llaman Calisto...

Melibea.- ¡Ya, ya, ya! Buena vieja, no me digas más, no sigas. ¿Ese es el enfermo por quien tanto has hablado, por quien has venido a buscar la muerte para ti, desvergonzada? ¿Qué siente ese perdido, que con tanta pasión vienes? De locura será su mal. ¡Con qué palabras me has entrado! Ya se dice que el peor miembro del mal hombre o de la mujer es la lengua. ¡Jesús, Jesús! ¡Quítame de delante a esta vieja falsa, Lucrecia, que me muero, que no me ha dejado ni una gota de sangre en el cuerpo!

Celestina.- (¡En hora mala vine! ¡De nuevo te conjuro, hermano, que todo se va a perder!)

[109] *hablar entre dientes:* sin abrir mucho la boca y en voz baja.

[110] *doblar una pena:* hacer más grande el castigo que va a recibirse.

Melibea.- ¿Aún hablas entre dientes[109] delante de mí para hacer más grande mi enfado y doblar tu pena[110]? ¿Quieres condenar mi honestidad por dar vida a un loco? ¿Dejarme a mí triste para alegrarlo a él?

Celestina.- Mi inocencia me da fuerzas. Y lo que más siento y me apena es recibir tu enfado sin razón ninguna. Por Dios, señora, que me dejes terminar, que ni él quedará culpado ni yo condenada. Y verás que todo es para servicio de Dios; para dar salud al enfermo y no para dañar la fama al médico.

[111] *feria:* aquí, enredo, trampa.

Melibea.- ¡Jesús! No quiero oír hablar más de ese loco. Dile que abandone lo que busca. Y tú, vete, que no tendrás de mí otra respuesta, ni la esperes. Y da gracias a Dios, que tan libre vas de esta feria[111]. Bien me habían dicho quién eras.

[112] *tempestad:* lluvia o nieve y viento fuerte; aquí, en sentido figurado, enfado.

Celestina.- (¡Otras más bravas he calmado! Ninguna tempestad[112] dura mucho.)

Melibea.- ¿Qué dices, enemiga? Habla, que pueda oírte. ¿Tienes alguna disculpa?

[113] *hervir:* alcanzar un líquido los 100º centígrados.

Celestina.- Poco calor necesita la sangre joven para hervir[113].

Melibea.- ¿Poco calor? ¿Poco lo llamas? Responde, puesto que dices que no has terminado.

[114] *muelas:* piezas en el interior de la boca que sirven, con los dientes, para masticar los alimentos.

[115] *cordón:* cinta.

[116] *reliquia:* pequeño trozo del cuerpo o de la ropa de un santo.

Celestina.- Una oración, señora, que le dijeron que sabías para el dolor de muelas[114]. Y tu cordón[115], que ha tocado todas las reliquias[116] que hay en Roma y Jerusalén. Por esto he venido.

Melibea.- Si eso querías, ¿por qué no me lo dijiste en pocas palabras?

Celestina.- Señora, porque mi limpio motivo me hizo creer que no se iba a pensar nada malo. ¡Por Dios, se-

V. O. nº 4 en pág. 111-112

ñora, no me culpes! Y si él ha hecho algún mal, que no sea para mi daño, pues mi culpa es sólo ser mensajera[117]. Que mi oficio es sólo servir a los semejantes. De esto vivo. Nunca quise enfadar a unos para agradar a otros. Siempre cumplo con los que algo me mandan.

[117] *mensajero:* persona que lleva un mensaje, una carta, una noticia.

Melibea.- Mucho me han dicho de tus falsas artes, y no sé si debo creer que pedías una oración. Aunque tanto afirmas tu ignorancia, que me haces creer que puede ser verdad. No le des mucha importancia a lo que antes te dije, porque lo que me decías era bastante para enfadarme: nombrarme a ese caballero, que conmigo se atrevió a hablar. Pero ya sé que es obra santa sanar a los apasionados y enfermos.

Celestina.- ¡Y tan enfermo, señora! Por Dios, que no merece que lo juzgues como has hecho. Ahora, señora, está derribado[118] por una sola muela, que jamás deja de quejarse.

[118] *derribado:* aquí, enfermo, sin fuerzas.

Melibea.- ¿Y desde hace cuánto tiempo que tiene el dolor?

Celestina.- Señora, ocho días. Pero parece que hace un año, por lo débil que ahora está.

Melibea.- ¡Oh, cuánto me duele mi falta de paciencia! Porque siendo él ignorante y tú inocente, habéis sufrido mi airada lengua. En pago de tu buen sufrimiento, quiero cumplir lo que pides y darte mi cordón. Y ven mañana secretamente a buscar la oración, que ahora me falta tiempo para escribirla.

Lucrecia.- (¡Ya, ya está perdida mi ama!)

Melibea.- ¿Qué dices, Lucrecia?

Lucrecia.- Señora, que es tarde.

Melibea.- Pues, madre, no le digas a ese caballero lo que pasó, que pensará que soy cruel o que estoy loca.

Celestina.- Señora Melibea, no dudes de mi secreto. No temas. Que voy muy alegre con tu cordón.

Melibea.- Más haré por tu enfermo, si es necesario, en pago de lo que has sufrido.

Celestina.- (Y más harás.)

Melibea.- ¿Qué dices, madre?

Celestina.- Digo, señora, que todos lo agradecemos.

Lucrecia.- (¡Me dan miedo esas palabras!

Celestina.- ¡Hija Lucrecia! Ven a casa, que voy a darte un agua para que esos cabellos sean más que el oro. No se lo digas a tu señora. Y también voy a darte unos polvos para quitarte ese olor de la boca, que te huele un poco y no hay cosa peor en la mujer.

Lucrecia.- ¡Oh! Dios te dé buena vejez, que más necesidad tenía de eso que de comer.

Celestina.- Pues, ¿por qué murmuras contra mí, loquilla? Calla, que no sabes si no tendrás necesidad de cosa de más importancia. No enfades a tu señora, más de lo que ella ha estado. Déjame ir en paz.)

Melibea.- ¿Qué le dices, madre?

Celestina.- Señora, que te recuerde la oración, para que la mandes escribir. Y ya me voy, si me lo permites.

Melibea.- Ve con Dios.

Quinto Acto

Celestina.- ¡Oh, gran dolor! ¡Y qué cerca estuve de la muerte! ¡Oh, muy enfadada doncella! ¡Oh, diablo a quien yo conjuré, cómo cumpliste tu palabra en todo lo que te pedí! ¡Oh, vieja Celestina! ¡Vas alegre! La mitad ya está hecha, cuando tienen buen principio las cosas. Alégrate, vieja, que más sacarás de este negocio que de renovar[119] quince virgos. ¡Oh, buena fortuna, cuánto ayudas a los osados! ¡Oh, cuántas se habrían equivocado en lo que yo he acertado! ¿Qué podían hacer en tan fuerte estrecho[120] las nuevas maestras de mi oficio? Responder a Melibea y, así, perder lo que yo, con buen callar, he ganado. Por eso dicen que es mejor el médico experimentado que el letrado; y que la experiencia hace a los hombres arteros[121]. ¡Ay, cordón, cordón! ¡Yo te haré traer por fuerza, si vivo, a la que no quiso darme buenas palabras!

Sempronio.- O yo no veo bien, o aquella es Celestina. Hablando viene entre dientes.

Celestina.- ¿De qué te asombras, Sempronio? Creo que de verme.

Sempronio.- Yo te lo diré. ¿Quién te vio jamás por la calle, con la cabeza baja, los ojos en el suelo y sin mirar a ninguna parte, como ahora? ¿Quién te vio hablar entre dientes por las calles? Toda esta novedad maravilla a quien te conoce. Pero dime, por Dios, con qué vienes. Que desde que dio la una[122] te espero aquí, y no he sentido mejor señal que el tiempo que tardabas.

Celestina.- Hijo, esa regla de bobos no es siempre verdad, que podía haber tardado otra hora y dejarme allí las narices, y otras dos horas, y narices y lengua.

[123] *no pases de aquí:* no te marches de aquí, no te vayas.

Sempronio.- Por amor mío, madre, no pases de aquí[123] sin contármelo.

Celestina.- Sempronio, amigo, ni yo puedo pararme, ni el lugar es apropiado. Vente conmigo; delante de Calisto oirás maravillas. De mi boca quiero que sepa lo que se ha hecho, que aunque vayas a tener alguna partecilla del provecho, quiero yo todas las gracias del trabajo. Parte o partecilla, lo que quieras te daré. Todo lo mío es tuyo. Que por repartir nunca reñiremos.

Sempronio.- Algunas cosas necesito más que el comer.

[124] *arco:* aquí, instrumento de caza y de guerra que sirve para lanzar flechas.

Celestina.- ¿Qué, hijo? ¿Un collar y otras ropas, y un arco[124] para ir de casa en casa matando pájaros y buscando pájaras en las ventanas? Muchachas digo, bobo, de las que no saben volar, ya me entiendes.

Sempronio.- (¡Oh, vieja llena de mal! También me quiere a mí engañar como a mi amo. ¡Pues quien de modo torpe sube a lo alto, más rápido cae que sube! ¡Mala y falsa vieja es ésta! ¡El diablo me metió con ella! Mía fue la culpa. Pero, quiera o no quiera, no negará lo que prometió.)

Celestina.- ¿Qué dices, Sempronio? ¿Con quién hablas?

Sempronio.- Lo que digo, madre mía, es que ahora vas sin seso por decir a Calisto todo lo que pasa. ¿No sabes que cada día que él espere será mayor el provecho?

Celestina.- No pensé yo, hijo Sempronio, que iba a tener tan buena fortuna. La calidad de lo hecho no puede quedar mucho tiempo sin decir. Y sobre todo porque yo sé que tu amo puede cambiar. Calla, bobo; deja hacer a tu vieja. Vamos pronto, que estará loco tu amo con lo mucho que tardo.

Pármeno.- ¡Señor, señor! A Sempronio y a Celestina veo venir.

Calisto.- ¡Oh, bobo! ¿Los ves venir y no puedes ir corriendo a abrir la puerta? ¡Oh, alto Dios! ¿Con qué vienen? ¿Qué nuevas[125] traen? ¡Oh, mis tristes oídos! En la boca de Celestina está ahora el consuelo o la pena de mi corazón. ¡Oh, Pármeno, lento, manos de muerto! Haz entrar a esa buena mujer, que en su lengua está mi vida.

Celestina.- ¿Oyes, Sempronio, cómo anda nuestro amo? De mal en bien me parece que va.

Sempronio.- Muchas mercedes[126] espero yo de él.

[125] *nueva:* aquí, noticia, novedad.

[126] *merced:* regalo, favor.

Sexto Acto

Celestina.- ¡Oh, mi señor Calisto! ¿Y aquí estás? ¡Oh, nuevo amador de la muy hermosa Melibea, y con mucha razón! ¿Con qué pagarás a la vieja, que hoy ha puesto su vida en peligro por tu servicio? La vida quiero darte con la buena esperanza que traigo de quien tú más amas.

Calisto.- Madre mía, habla pronto. ¿Buena esperanza, señora?

Celestina.- Buena puede decirse, pues queda abierta la puerta para que regrese. Y antes me recibirá a mí, con esta falda rota, que a otro, vestido de seda e hilados.

Calisto.- Dime, señora, por Dios, ¿qué hacía? ¿Cómo entraste? ¿Qué vestido tenía? ¿En qué parte de la casa estaba? ¿Qué cara puso al principio?

Celestina.- La cara, señor, de los toros bravos cuando les lanzan flechas.

Calisto.- ¿Y a eso llamas señales de esperanza? Pues ¿cuáles son señales mortales? Dime pronto si tuvo buen fin tu demanda[127]. Pues todo lo que ahora me dices es más señal de odio que de amor.

Celestina.- Todo el rigor[128] de Melibea traigo convertido en miel. ¿A qué piensas que iba la vieja Celestina, sino a recibir en mi manto los golpes que dan primero las que luego quieren que su amor sea más apreciado? Así que, para que descanses y estés tranquilo mientras te cuento lo que hablamos y por qué estoy aquí, debes saber que el fin fue bueno.

Calisto.- Ahora, señora, habla, que estaré atento. Ya tengo el corazón tranquilo, ya he perdido el temor, ya tengo alegría. Subamos, si mandas, arriba. En mi habitación

[127] *demanda:* petición.

[128] *rigor:* severidad.

me dirás lo que aquí he sabido en resumen. Sube, señora, sube; sube y siéntate, que de rodillas[129] quiero escuchar tu respuesta. Y dime cuál fue la causa de tu visita.

Celestina.- Vender un poco de hilado, con eso he cazado a más de treinta. Oye, señor Calisto, y verás. Que, al empezar yo a vender mi hilado, tuvo que marcharse la madre de Melibea a visitar a una hermana suya enferma. Y dejó en su lugar a Melibea. Verme sola con ella me dio más osadía para hablar lo que quería. Le dije lo que tenía que decirle: que sufría por una palabra suya para sanar un gran dolor tuyo. Y como ella se quedó mirándome, con miedo por el mensaje, escuchando hasta ver quién era el que así necesitaba su palabra, o a quién podía sanar su lengua, al decir tu nombre cortó mis palabras, se dio en la frente una gran palmada, diciendo: "¡Calla tu habla! ¡Quítate de delante de mí!", llamándome muchos ignominiosos[130] nombres. Y yo, callando, muy feliz con su ferocidad. Mientras más protestaba ella, más me alegraba yo, porque más cerca estaba su caída. Pero tuve tiempo para salvar lo que había dicho.

Calisto.- Dime, señora madre, qué le dijiste.

Celestina.- ¿Qué, señor? Dije que tu pena era mal de muelas y que la palabra que de ella quería era una oración.

Calisto.- ¡Oh, maravillosa astucia! ¡Oh, singular mujer!

Celestina.- Señor, déjame decir, que se va haciendo de noche.

Calisto.- Sigue hablando y dime qué más pasaste. ¿Qué te respondió a la demanda de la oración?

Celestina.- Que la daría con mucho gusto.

Calisto.- ¿Con mucho gusto? ¡Oh, Dios mío, qué alto don!

Celestina.- Pues más le pedí: un cordón que ella lleva continuamente; diciendo que era bueno para tu mal, porque había tocado muchas reliquias.

Calisto.- ¿Y qué dijo? ¡Toma todo lo que hay en esta casa y dímelo! O pide lo que quieras.

Celestina.- Por un manto que tú le des a la vieja, te dará en tus manos el cordón que en su cuerpo ella traía.

Calisto.- ¿Qué dices de manto? Y cuanto tengo.

Celestina.- Manto necesito. No quieras darme más, que dicen que ofrecer mucho al que poco pide es como negar.

Calisto.- Corre, Pármeno, llama a mi sastre; y que corte un manto de buena tela. Ve donde te mando, que también habrá para ti algo de la misma pieza[131].

Pármeno.- Señor, es tarde para que venga el sastre.

Calisto.- Pues que se quede para mañana. Y tú, señora, por amor mío, muéstrame el santo cordón. ¡Que serán felices mis ojos y todos los demás sentidos!

Celestina.- Toma este cordón, que, si no me muero, yo te daré a su ama, que una mujer puede ganar a otra. Poco has tratado mi casa: no sabes bien lo que yo puedo.

Calisto.- En todo lo que digas, señora, quiero creerte, puesto que esta joya me trajiste. ¡Oh, gloria y cordón de aquella cintura de ángel! ¡Oh, qué secretos habrás visto de aquella excelente imagen!

Celestina.- Más verás tú y con más sentido, si no lo pierdes hablando lo que hablas.

Calisto.- Calla, señora, que él y yo nos entendemos.

Sempronio.- Señor, por estar con el cordón, no querrás estar con Melibea. Que mucho hablando te matas a ti y

[131] *pieza:* trozo, parte de algo.

a los que te oyen. Y perderás la vida o el seso. Haz más breves tus razones.

Calisto.- ¿Te molesto, madre, con mi larga razón, o está borracho este mozo?

Celestina.- Aunque no lo esté, debes, señor, dar fin a tus largas razones y tratar al cordón como cordón.

Calisto.- ¡Oh, mi señora, mi madre, mi consoladora! Déjame salir por las calles con esta joya, para que todos sepan que no hay hombre tan feliz como yo.

Celestina.- Ya sabes que lo hizo por amor de Dios, para sanarte de tus muelas, no por el tuyo, para cerrar tus heridas. Pero si yo vivo, ella volverá la hoja[132].

[132] *volver la hoja:* aquí, pasar adelante, ir más allá.

Calisto.- ¿Y la oración?

Celestina.- No me la dio por ahora.

Calisto.- ¿Cuál fue la causa?

Celestina.- El poco tiempo; pero dijo que, si tu dolor no baja, vuelva mañana por ella. Obligada queda, según lo que mostró, a todo lo que para esta enfermedad yo quiera pedirle. Mira, señor, si esto basta para la primera visita. Yo me voy. Si sales mañana, señor, lleva un pañuelo[133] en la cara, por si ella te ve, que no piense que es falsa mi petición.

[133] *pañuelo:* pieza de tela para cubrirse la cabeza.

Calisto.- Y cuatro, si tú me lo pides. Pero dime, por Dios, ¿pasó algo más? ¿Cómo fuiste tan atrevida que, sin conocerla, le hablaste tan familiarmente?

Celestina.- ¿Sin conocerla? Cuatro años fueron mis vecinas.

Calisto.- ¿Hay en el mundo otra como ella? ¿Creó Dios otro cuerpo mejor? En ella, toda la naturaleza se unió para hacerla perfecta.

Celestina.- Calla y no te canses. Pero ahora, dame permiso, que es muy tarde, y déjame llevar el cordón, porque lo necesito.

Calisto.- ¡Oh, triste de mí! La fortuna sigue siéndome contraria. Contigo o con el cordón, o con ambos, quería yo estar esta noche larga y oscura. Pero, si así ha de ser, venga entera la soledad. ¡Mozo! ¡Mozo!

Pármeno.- ¿Señor?

Calisto.- Acompaña a esta señora hasta su casa.

Celestina.- Quede Dios contigo, señor. Mañana volveré. Piensa en otras cosas.

Calisto.- Eso no, que es un enorme pecado olvidar a aquella por quien vivo.

Séptimo Acto

Celestina.- Pármeno, hijo, no he tenido momento oportuno para decirte el mucho amor que te tengo, y que de mi boca todo el mundo me ha oído hablar bien de ti. Porque yo te tenía por hijo. Y tú me pagas pareciéndote mal todo lo que digo. Óyeme, si no me has oído, que soy vieja, y mírame, que el buen consejo está en los ojos. Creo de verdad que de tu error sólo la edad tiene la culpa. Espero que serás mejor para mí de ahora en adelante, hijo, creciendo y viendo cosas nuevas cada día. Mira a Sempronio: yo lo hice hombre. Quiero que seáis como hermanos, porque estando bien con él, con tu amo y con todo el mundo lo estarás. Él quiere tu amistad; crecerá vuestro bien si os dais el uno al otro la mano.

Pármeno.- Madre, te pido perdón por mis críticas. Pero con Sempronio me parece que es imposible tener amistad.

Celestina.- El buen amigo, en la cosa difícil se conoce. ¿Qué te diré, hijo, de las virtudes del buen amigo? No hay cosa más amada ni más rara. Vosotros sois iguales: con las mismas costumbres y los mismos corazones. Mira, hijo, que no se te puede dar más, hasta que vivas más tranquilo y tengas más edad.

Pármeno.- ¿A qué llamas tranquilo, tía?

Celestina.- Hijo, a vivir por ti, a no andar por las casas de los demás. Que me dio pena verte roto y le pedí hoy un manto a Calisto, como viste. No por mi manto; sino para que, estando el sastre delante, tú también tengas nuevo vestido. Así que más quise tu bien que el mío. Sé feliz mientras eres joven, vive el buen día, la buena noche, el buen comer y beber. ¡Oh, hijo mío Pármeno! Toma mi consejo, que es limpio. ¡Oh, qué feliz seré si tú y Sempronio sois muy amigos, hermanos en todo, y os veo venir a mi pobre casa a pasarlo bien, a verme, y a estar con muchachas!

Pármeno.- ¿Muchachas, madre mía?

Celestina.- Muchachas digo, que para viejas ya estoy yo. Como la tiene Sempronio, y sin quererlo tanto como te quiero a ti. Pero también lo hago por amor de Dios, y un día vendrás y dirás: la vieja Celestina bien me aconsejaba.

Pármeno.- También ahora lo siento, aunque soy mozo. Doy por bien empleado el tiempo que, siendo niño, te serví. Y rogaré a Dios por el alma de mi padre, que tan buena maestra me dejó, y de mi madre, que a tan buena mujer me encomendó[134]. Pero dejemos los muertos y las herencias[135]. Hablemos de los negocios de hoy; que son más importantes que recordar los pasados. Bien te acordarás que, no hace mucho, me prometiste que ibas a hacerme amigo de Areúsa, cuando en mi casa te dije que moría por sus amores.

Celestina.- Te lo prometí y no lo he olvidado; no creas que he perdido con los años la memoria. Que esto es lo menos que tengo que hacer por ti.

Pármeno.- Yo ya desconfiaba de poder alcanzarla, porque jamás podía decirle una palabra.

Celestina.- Pues ahora verás, gracias a mí, cuánto vales, cuánto puedo, cuánto sé en casos de amor. Anda. ¿Ves aquí la puerta de Areúsa? Entremos sin ruido, que no nos oigan sus vecinas. Espera al pie de esta escalera. Subiré yo a ver qué se puede hacer de lo hablado, y a lo mejor hacemos más de lo que tú o yo hemos pensado.

Areúsa.- ¿Quién anda ahí? ¿Quién sube a esta hora a mi habitación?

[134] *encomendar:* encargar; aquí, dejar una persona al cuidado de otra.
[135] *herencia:* lo que una persona le deja a otra u otras cuando se muere.

Celestina.- Quien no te quiere mal, quien nunca da un paso sin pensar en tu bien.

Areúsa.- (¡Con qué viene esta vieja a esta hora!) Tía señora, ¿qué buena venida es ésta, tan tarde? Ya me desnudaba para acostarme. Pero quiero volver a vestirme, que tengo frío.

Celestina.- No, por mi vida; métete en la cama, que desde allí hablaremos.

Areúsa.- Lo necesito, que me siento mala hoy todo el día. Necesidad, más que vicio, me hizo tomar con tiempo las sábanas.

Celestina.- Pues no estés sentada; acuéstate y métete debajo de la ropa.

Areúsa.- Bien me dices, señora tía.

[136] *a punto:* preparado.

Celestina.- ¡Ay, cómo huele toda la ropa! ¡Bien se ve que está todo a punto[136]! Siempre me gustaron tus cosas y hechos, tu limpieza. ¡Dios te bendiga! ¡Qué sábanas! ¡Qué almohada y qué blancura! Verás que te quiere bien quien te visita a estas horas. Déjame que te mire toda.

[137] *hacer cosquillas:* hacer reír a alguien tocándole alguna parte del cuerpo.

Areúsa.- ¡Madre! Que me haces cosquillas[137] y me haces reír, y con la risa me crece el dolor.

Celestina.- ¿Qué dolor, mi amor?

Areúsa.- Hace cuatro horas que muero de mal de mujer, que lo tengo subido en los pechos y parece que me quiere sacar del mundo; que no soy tan viciosa como piensas.

Celestina.- Pues déjame tocarte. Que todavía algo sé yo de este mal. Que cada una siente o ha tenido su mal y sus dolores.

Areúsa.- Más arriba lo siento, sobre el estómago.

[138] *fresca:* aquí, sana, con buen color.
[139] *avariento:* que desea poseer dinero para guardarlo.

Celestina.- ¡Que Dios y san Miguel te bendigan! ¡Y qué gorda y fresca[138] estás! ¡Qué pechos y qué belleza! Hermosa pensaba que eras, viendo lo que todos podían ver; pero ahora te digo que no hay en la ciudad tres cuerpos como el tuyo, por lo que yo conozco. No parece que tengas quince años. ¡Oh, quién fuera hombre! Por Dios que es un pecado no dar parte de estas bellezas a todos los que bien te quieren; no te las dio Dios para que pasasen por el frescor de tu juventud, debajo de seis piezas de tela. No seas avarienta[139] de lo que poco te costó. Mira que es pecado dar pena a los hombres cuando puede evitarse.

Areúsa.- Ninguno me quiere ahora, madre. Dame algún remedio para mi mal y no te rías de mí.

Celestina.- En este dolor tan común, todas somos maestras. Te diré lo que he visto a muchas hacer y lo que a mí siempre me fue bien. Todo olor fuerte es bueno. Pero otra cosa hallaba yo siempre mejor que todas; y no quiero decírtela, porque piensas que soy muy santa.

Areúsa.- ¿Qué, por mi vida, madre? ¿Me ves con dolor, y no me dices el remedio?

Celestina.- ¡Anda, que bien me entiendes! ¡No te hagas la tonta!

Areúsa.- ¡Ya, ya! ¡Mal dolor me mate si te entendía! Pero ¿qué quieres que haga? Sabes que ayer se marchó mi amigo con su capitán a la guerra. Pero dime, que es tarde, a qué has venido.

Celestina.- Ya sabes lo que te he dicho de Pármeno. Que está triste porque no quieres verlo. No sé por qué, porque ya sabes que yo lo quiero bien y que lo tengo por hijo. El amor nunca se paga más que con puro amor; y las obras, con obras. Ya sabes que Elicia siempre tiene a Sempronio en mi casa. Pármeno y él son compañeros, sirven a ese señor que tú conoces, y que tanto bien te podrá dar. No niegues lo que tan poco te cuesta hacer. Vosotras dos, parientas; ellos, compañeros. Aquí viene Pármeno conmigo. Tú me dirás si quieres que suba.

Areúsa.- ¡Pobre de mí! ¿Y nos ha oído?

Celestina.- No, que está abajo. Quiero hacerlo subir. Que lo conozcas y le hables y le muestres buena cara[140]. Y, si te parece, que goce él de ti y tú de él. Él ganará mucho, y tú no perderás nada.

Areúsa.- Bien sé, señora, que todas tus razones, éstas y las pasadas, son para mi provecho. Pero ¿cómo quieres que haga tal cosa, si tengo a quien dar cuenta, como has oído, y si lo sabe me matará? Tengo vecinas que luego se lo dirán.

Celestina.- Eso que temes yo lo sabía, y muy en silencio entramos.

Areúsa.- No lo digo por esta noche, sino por otras muchas.

Celestina.- ¿Cómo? ¿De ésas eres? ¿De esa manera te tratas? Si le tienes miedo cuando está ausente, ¿qué harás si está en la ciudad? Nunca dejo de dar consejo y todavía hay quien se equivoca. ¡Ay, ay, hija! No sabes cuánto sabe tu prima, y cuánto bien le hacen mis consejos, y qué gran maestra está hecha. Que uno en la cama y otro en la puerta y otro que suspira por ella en su casa sabe tener. Y con todos cumple, y a todos pone buena cara, y todos piensan que son muy queridos, y cada uno piensa que no hay otro, y que él es el único, y él solo es el que le da lo que ella necesita. ¿Y tú piensas que, si tienes dos, las tablas[141] de la cama van a descubrirlo? Más pueden dos, y más cuatro, y más dan y más tienen y más hay en donde escoger. Una misma comida todos los días pronto cansa; quien sólo tiene un vestido pronto lo hace viejo. ¿Qué

140 *mostrar buena cara:* ser amable con alguien.

141 *tabla:* trozo de madera cortado.

quieres, hija, de este número de uno? Ten al menos dos, que es compañía agradable: como tienes dos orejas, dos pies y dos manos, dos sábanas en la cama; como tienes dos camisas para cambiarte. Sube, hijo, Pármeno.

Areúsa.- ¡Que no suba! Que me muero, que no lo conozco. Siempre tuve vergüenza de él.

Celestina.- Aquí estoy yo, que te la quitaré y hablaré por los dos; que igual de vergüenza tiene él.

Pármeno.- Señora...

Areúsa.- Gentilhombre...

Celestina.- Acércate, asno. ¿Cómo te vas al rincón[142] a sentarte? No seas tonto. Oídme bien lo que digo. Ya sabes tú, Pármeno amigo, lo que te prometí; y tú, hija mía, lo que te pedí. Él siempre ha vivido pensando en ti. Viendo su pena, sé que no querrás matarlo y que no será malo que se quede esta noche aquí, en tu casa.

Areúsa.- Por mi vida, madre, que no. ¡Jesús! No me lo mandes.

Pármeno. (Madre mía, por amor de Dios, que no salga yo de aquí; que me he muerto de amores al verla.)

Areúsa.- ¿Qué te dice ese señor al oído? ¿Piensa que tengo que hacer lo que pides?

Celestina.- Dice que quiere mucho ser tu amigo, hija, porque eres persona muy buena. Y me promete ser muy amigo de Sempronio y estar juntos contra su amo en un negocio que tenemos entre manos. ¿Es verdad, Pármeno? ¿Lo prometes así como digo?

Pármeno.- Sí prometo, sin duda.

Celestina.- Ven aquí, vergonzoso. Métete con ella en esta cama.

[142] *rincón:* esquina, ángulo de una habitación.

Areúsa.- No será posible que entre él en lo prohibido sin permiso.

Celestina.- ¿Con permisos andas? De éstos me mandaban a mí comer en mi tiempo los médicos de mi tierra, cuando tenía mejores dientes.

Areúsa.- Ay, señor mío, no me trates así; mira las canas de esta vieja que están presentes; quítate, que no soy de las que piensas; no soy de las que públicamente venden sus cuerpos por dinero. No me toques la ropa hasta que Celestina, mi tía, se marche.

Celestina.- ¿Qué es eso, Areúsa? ¿Qué son estas novedades? Parece, hija, que no sé yo qué cosa es esto, que nunca vi estar un hombre con una mujer juntos, y que jamás pasé por ello y que no sé lo que pasan y lo que dicen y hacen. Pues te digo que hice como tú y tuve amigos; pero nunca al viejo ni a la vieja echaba de mi lado. ¿Piensas que nací ayer?

Areúsa.- Madre, te pido perdón. Y ven más cerca, y él haga lo que quiere. Que más quiero tenerte a ti contenta que a mí.

Celestina.- No estoy ya enfadada; pero te lo digo para otra vez. Ya me voy, que me viene a la boca el sabor de vuestros besos, que no lo perdí con las muelas.

Pármeno.- Madre, ¿quieres que vaya contigo?

Celestina.- Yo soy vieja, nada me pasará en la calle.

Octavo Acto

Pármeno.- ¿Es ya de día, o qué es esto, que tanta claridad hay en esta habitación?

Areúsa.- ¡Cómo de día! Duerme, señor, que nos acostamos hace muy poco tiempo, ¿ya va a ser de día? Abre esa ventana, por Dios, y lo verás.

Pármeno.- Te digo, señora, que es de día claro, que veo entrar luz por las puertas. ¡Oh, qué tarde es! Si voy más tarde, no seré bien recibido por mi amo. Yo vendré mañana y todos los días que quieras. Que por eso hizo Dios un día tras otro: si uno no es suficiente, se continúa al otro. Y, para vernos más, ve hoy a las doce del día a comer con nosotros a casa de Celestina.

Areúsa.- Iré. Ve con Dios, cierra la puerta.

Pármeno.- ¿Qué hombre tiene ni ha tenido más suerte que yo? ¿Cuál es más feliz? ¿Con qué pagaré yo esto a la vieja Celestina? ¿A quién contaré yo esta alegría? ¿A quién le descubriré un secreto tan grande? Bien me decía la vieja que nada es bueno sin compañía. ¿Quién sentirá mi alegría como yo la siento? Veo a Sempronio a la puerta de casa. Muy pronto se ha levantado.

Sempronio.- Pármeno hermano, no sé cuál es la tierra donde se gana el sueldo[143] durmiendo. ¿Cómo te fuiste y no volviste? No sé por qué llegas tan tarde. ¿Te quedaste a calentar a la vieja esta noche, o a rascarle[144] los pies, como cuando eras chiquito[145]?

Pármeno.- ¡Oh, Sempronio, amigo y más que hermano! Por Dios, recíbeme con alegría, que voy a contarte cosas maravillosas.

Sempronio.- ¿Es algo de Melibea? ¿La has visto?

[143] *sueldo:* dinero que se recibe con regularidad a cambio de un trabajo.
[144] *rascar:* pasar repetidamente las uñas por alguna parte del cuerpo.
[145] *chiquito:* diminutivo de *chico*, pequeño, de poca edad.

Pármeno.- ¡Qué de Melibea! Es de otra que yo más quiero y que puede ser igual que ella en gracia y en belleza.

Sempronio.- ¿Qué es esto, loco? ¿Ya todos amamos? El mundo se va a perder. Calisto a Melibea, yo a Elicia, y tú has buscado con quién perder ese poco de cabeza que tienes.

Pármeno.- ¿Locura es amar y yo estoy loco y sin cabeza? Yo siempre te he querido como a un hermano. Tú, Sempronio, muy mal me tratas; no sé por qué.

Sempronio.- Más maltratas tú a Calisto, dándole a él los consejos que para ti no quieres, diciéndole que deje de amar a Melibea. ¡Oh, Pármeno! Ahora podrás ver qué fácil es entrar en la vida de los otros y qué duro guardar la propia. No digas más. De ahora en adelante veremos cómo te va. Si tú eres mi amigo, ayuda a Celestina.

Pármeno.- ¿Quién puede venir tan alegre como yo ahora? ¿Quién puede recibir tan triste recibimiento? ¿Quién puede verse con tanta gloria como yo con mi querida Areúsa? Que no me has dado tiempo para poder decirte que soy tuyo, cuánto te voy a ayudar en todo, cuánto siento lo pasado, cuántos consejos buenos he recibido de Celestina; cómo, pues, este juego de nuestro amo y Melibea podrá ser para nuestro bien.

Sempronio.- Bien me gustan tus palabras, las cuales espero poder creer. Pero, por Dios, dime qué es eso que dijiste de Areúsa. ¡Parece que conoces tú a Areúsa, la prima de Elicia!

Pármeno.- ¿Pues qué es toda la alegría que traigo? ¡Que ha sido mía! No sé si quedará preñada[146] o no.

Sempronio.- ¡La vieja anda por ahí!

Pármeno.- ¿En qué lo ves?

---

[146] *preñada:* encinta, esperando un hijo.

Sempronio.- En que ella me había dicho que te quería mucho y que iba a dártela. Pero ¿qué te cuesta? ¿Le has dado algo?

Pármeno.- No. La invité a comer a casa de Celestina, y si quieres, vamos todos.

Sempronio.- ¿Quién, hermano?

Pármeno.- Tú y ella, y allá están la vieja y Elicia.

Sempronio.- ¡Oh, Dios, y cómo me has alegrado! Todo el enfado que tenía se me ha hecho amor. Abrazarte quiero. Seamos como hermanos, y paz para todo el año.

Pármeno.- ¿Y qué hace el desesperado Calisto?

Sempronio.- Allí está, tendido[147] junto a la cama, donde lo dejaste anoche: que ni ha dormido, ni está despierto. Subamos a ver qué hace.

Pármeno.- (Escucha, escucha, Sempronio. Cantando está nuestro amo.

Sempronio.- ¡Sí, sí; entre sueños!)

Calisto.- ¿Quién habla en la sala? ¡Mozos! ¿Es de noche? ¿Es hora de acostarse?

Pármeno.- ¡Ya es, señor, tarde para levantarse!

Calisto.- ¿Qué dices, loco? ¿Toda la noche ha pasado?

Pármeno.- Y gran parte del día.

Calisto.- Di, Sempronio, ¿miente este loco que me hace creer que es de día?

Sempronio.- Olvida, señor, un poco a Melibea, y verás la claridad.

Calisto.- Ahora lo creo, que suenan las campanas[148] a misa[149]. Dame mis ropas, iré a la Magdalena[150]; pediré a

---

[147] *tendido:* echado, acostado.

[148] *campana:* instrumento metálico que se encuentra generalmente en lo alto de las torres de las iglesias, y se hace sonar para señalar las horas.
[149] *misa:* celebración religiosa propia del cristianismo.
[150] *la Magdalena:* aquí, nombre coloquial de la iglesia de *Santa (María) Magdalena.*

Dios que ponga en el corazón de Melibea mi salud, o dé fin a mis tristes días.

Sempronio.- No te fatigues tanto, no lo quieras todo en una hora. Dale, señor, tiempo al corazón, que con un solo golpe no se corta un árbol.

Calisto.- Bien has dicho.

Sempronio.- ¿Para qué, señor, está la cabeza?

Calisto.- ¡Oh, loco, loco! No quiero consejo, que más avivas y enciendes las llamas de mi amor. Yo me voy solo a misa, y no regresaré a casa hasta que me llaméis diciéndome que ha venido Celestina. Ni comeré hasta entonces.

Sempronio.- Deja, señor, esos pensamientos. Y come alguna conserva[151].

Calisto.- Sempronio, mi fiel criado, mi buen consejero, mi leal servidor, que sea como a ti te parece. Porque sé que quieres tanto mi vida como la tuya.

[151] *conserva:* alimento preparado para ser comido después de algún tiempo.

Noveno Acto

Sempronio.- Baja, Pármeno, nuestras capas y espadas, que es hora de ir a comer.

Pármeno.- Vamos. Pasaremos por la iglesia y veremos si ha acabado Celestina, y la llevamos de camino.

Sempronio.- Mal conoces a Celestina. Cuando ella tiene que hacer, no se acuerda de Dios ni de los santos.

Pármeno.- Calla, que está abierta su puerta. En casa está. Llama antes de entrar.

Sempronio.- Entra, que todos somos de casa. Ya ponen la mesa.

Celestina.- ¡Oh, mis enamorados, mis perlas de oro! ¡Muchachas! ¡Bobas! Bajad pronto.

Elicia.- Hace tres horas que está aquí mi prima. Este perezoso de Sempronio habrá sido la causa de lo mucho que ha tardado, que no tiene ojos para verme.

Sempronio.- Calla, mi señora, mi vida, mis amores. Que quien a otro sirve no es libre. No nos enfademos, sentémonos a comer.

Elicia.- ¡Eso sí! ¡Para sentarse a comer, muchas prisas! ¡A mesa puesta, con tus manos lavadas y poca vergüenza!

Sempronio.- Después reñiremos; comamos ahora. Siéntate, madre Celestina, tú primero.

Celestina.- Sentaos vosotros, mis hijos, que hay lugar para todos, a Dios gracias. En orden, cada uno junto a la suya; yo, que estoy sola, me pondré junto a este jarro. Desde que fui haciéndome vieja, no sé mejor cosa en la mesa que servir vino, pues de noche, en invierno, no hay mejor calentador de cama. Si bebo dos jarrillos de éstos cuando me voy a acostar, no siento frío en toda la noche; esto me calienta la sangre; esto me sostiene; esto me hace andar siempre alegre; esto me hace estar derecha; con esto en casa, nunca temeré el mal año. Que un trozo de pan seco me basta para tres días. Esto quita la tristeza del corazón más que el oro; esto le da alegría al mozo y fuerza al viejo; le pone color al descolorido, le da coraje[152] al cobarde, saca el frío del estómago, quita el mal olor de boca. Más os puedo decir, que todos se alegran con él. Sólo tiene un defecto: que el bueno vale caro y el malo hace daño. Así que, con lo que se sana el cuerpo, enferma la bolsa. Pero siempre busco lo mejor para lo poco que bebo. Sólo una docena de veces en cada comida, y un poco más cuando soy invitada, como ahora.

Pármeno.- Madre, pues tres veces dicen que es bueno todos los que escribieron.

Celestina.- Hijos, estará mal la letra y dirá tres por trece[153].

Sempronio.- Tía señora, a todos nos viene bien para comer y hablar, que después no habrá tiempo para hablar de los amores del perdido de nuestro amo y de la graciosa y gentil[154] Melibea.

Elicia.- ¡Calla! ¡Mal te haga lo que comes! ¡Asco me da oírte! ¡Mirad a quién llama gentil! ¡Jesús, Jesús! ¿Gentil con quién? ¿Gentil? ¿Gentil es Melibea? Su belleza, por una moneda se compra en la tienda. Si algo tiene de bella es por los buenos arreglos que lleva. Ponedlos en un palo, también dirás que es gentil.

Areúsa.- Pues no la has visto tú como yo, hermana mía. Todo el año está con mil suciedades[155]. Si una vez sale donde pueda ser vista, se da en la cara con cien cosas

[152] *coraje:* valor, valentía.

[153] *dirá tres por trece:* es decir, dirá tres cuando en realidad quiere decir trece.

[154] *gentil:* amable, agraciado.

[155] *suciedad:* falta de limpieza.

[156] *tetas:* pechos.
[157] *calabaza:* fruta de gran tamaño.
[158] *parir:* tener un hijo.

que en la mesa no voy a decir. Las riquezas hacen bellas a éstas, y no las gracias de su cuerpo. Tiene unas tetas[156], para ser doncella, como dos grandes calabazas[157]: parece que ha parido[158] tres veces. El vientre no se lo he visto; pero creo que lo tiene tan flojo como el de una vieja de cincuenta años. No sé qué le ha visto Calisto, por qué deja de amar a otras que más rápidamente puede tener, y con quienes más feliz sería.

Sempronio.- Hermana, me parece que lo contrario de eso se oye por la ciudad.

Areúsa.- Ninguna cosa está más lejos de la verdad que la opinión vulgar. Nunca vivirás alegre si te guías por la voluntad de muchos.

Sempronio.- Señora, el pueblo, cuando habla, no perdona las faltas de sus señores; y por eso creo que ninguna tiene Melibea, porque no las ha descubierto ninguno de los que tratan con ella más que con nosotros. Además, Calisto es caballero y Melibea noble, y por linaje[159] se buscan.

[159] *linaje:* línea de ascendencia o descendencia de una familia; aquí, clase o condición, nobleza.

[160] *antepasados:* en una familia, los mayores (abuelos, etc.), que ya han muerto.

Areúsa.- Las obras hacen linaje, que todos somos hijos de Adán y Eva. Cada uno tiene que ser bueno por sí mismo, y no por la nobleza de sus antepasados[160].

Celestina.- Hijos, por mi vida, dejad esas razones. Y tú, Elicia, vuelve a la mesa y no te enfades.

Elicia.- ¿Voy a comer yo con ese mal hombre, que en mi cara me ha dicho que es más gentil Melibea que yo?

Sempronio.- Calla, mi vida, que tú la comparaste. Tal comparación es odiosa, tú tienes la culpa y no yo.

Areúsa.- Ven a comer, hermana. Si no, también me levantaré yo de la mesa.

Elicia.- Por hacer lo que dices me acerco de nuevo a ese enemigo mío.

Sempronio.- ¡He! ¡he! ¡he!

Elicia.- ¿De qué te ríes?

Celestina.- No le respondas, hijo; si no, nunca acabaremos. Vamos a hablar de lo que nos interesa; decidme, ¿cómo quedó Calisto? ¿Cómo lo dejasteis?

Pármeno.- Fue echando fuego, desesperado, perdido, medio loco, a misa a la Magdalena, a pedir a Dios, y diciendo que no volverá a casa hasta oír que has venido con la voluntad de Melibea ganada. Seguros están los regalos para ti y también para mí; cuándo los dará, no lo sé.

Celestina.- Siempre alegra lo que con poco trabajo se gana. Mucha fuerza tiene el amor. La misma en toda clase de hombres. Vosotros sabéis si digo la verdad.

Sempronio.- Señora, en todo tienes tú razón, que aquí está quien me hizo andar algún tiempo hecho otro Calisto. Pero todo lo doy por bueno, puesto que tan bella joya gané.

Elicia.- ¡Mucho piensas que me tienes ganada! Pues debes saber que cuando tú vuelves la cabeza, entra en casa otro al que más quiero, más gracioso que tú, y que no anda buscando cómo enfadarme; de año en año me vienes a ver, tarde y con mal.

Celestina.- Hijo, déjala decir, que más se confirma así su amor. Todo es porque has hablado bien de Melibea. Y creo que no ve la hora de haber terminado de comer para lo que yo sé. Que tenéis que pasarlo bien con vuestra fresca juventud. Besaos y abrazaos, que a mí no me queda otra cosa más que veros. Que Dios os bendiga.

Elicia.- Madre, a la puerta llaman. ¡La alegría ha terminado!

Celestina.- Mira, hija, quién es; a lo mejor es alguien que la hace aún mayor.

Elicia.- O la voz me engaña, o es mi prima Lucrecia.

Celestina.- Ábrele y que entre. Que también ella algo entiende de lo que aquí hablamos.

Lucrecia.- Te saludo, tía, y a tanta gente aquí reunida.

Celestina.- ¿Tanta, hija? ¿Mucha te parece? Bien se ve que no me conociste hace veinte años. ¡Ay! ¡Quien me vio y quien me ve ahora, no sé cómo no se le parte el corazón de dolor! Yo vi, mi amor, a esta mesa donde ahora están tus primas sentadas, nueve mozas de tu edad, que la mayor no pasaba de dieciocho años, y ninguna tenía menor de catorce.

Lucrecia.- Trabajo tenías, madre, con tantas mozas.

Celestina.- ¿Trabajo, mi amor? Descanso y felicidad. Todas me obedecían, lo que yo decía era lo bueno.

Sempronio.- Madre, nada bueno trae el recuerdo del buen tiempo pasado, más que tristeza. Vámonos ahora, y tú darás respuesta a esta doncella que aquí ha venido.

Celestina.- Hija Lucrecia, dime por qué ha sido ahora tu buena venida.

Lucrecia.- Pedirte el cordón y, además de esto, te ruega mi señora que vayas a visitarla y muy pronto, porque se siente muy fatigada y con dolor de corazón.

Celestina.- Vamos, que ya lo llevo.

V. O. nº 6 en pág. 112

Décimo Acto

[161] *género:* conjunto de personas, de animales o cosas que tienen las mismas características principales.

[162] *ardiente:* muy caliente.

Melibea.- ¡Oh, pobre de mí! ¿Y no era mejor para mí conceder la petición de Celestina ayer, cuando me lo pidió de parte de aquel señor del cual, al verlo, me enamoré? ¡Oh, mi fiel criada Lucrecia! ¿Qué dirás de mí? ¿Qué pensarás de mi seso cuando me veas publicar lo que a ti jamás te he querido descubrir? No sé si habrás imaginado de dónde viene mi dolor. ¿Cuándo llegarás con Celestina, que tiene que darme la salud? ¡Oh, Dios! A ti, que todo lo puedes, humildemente te pido que le des paciencia a mi herido corazón, para no descubrir mi terrible pasión. Pero ¿cómo podré hacerlo? ¡Oh, género[161] femenino, miedoso y frágil! ¿Por qué no pueden las mujeres descubrir su ardiente[162] amor, como los hombres?

Lucrecia.- Tía, párate un poquito junto a esta puerta. Entraré a ver con quién está hablando mi señora. Entra, entra, que está sola.

Melibea.- Lucrecia, cierra esa antepuerta. ¡Oh, vieja sabia y buena, bienvenida! ¿Qué te parece? La fortuna ha querido que yo tenga necesidad de tu saber para que muy pronto me pagues con la misma moneda el favor que tú me pediste para ese gentilhombre.

[163] *colorada:* con color, roja.

Celestina.- ¿Cuál es, señora, tu mal, que tan colorada[163] tienes la cara?

Melibea.- Madre mía, que tengo serpientes dentro de mi cuerpo que me comen el corazón.

Celestina.- (Bien está. Así lo quería yo. Tú me pagarás, doña loca, lo mucho que te enfadaste conmigo.)

Melibea.- ¿Qué dices? ¿Conoces ya la causa de mi mal?

Celestina.- No me has dicho, señora, la calidad del mal. ¿Quieres que adivine[164] la causa? Lo que digo es que me da mucha pena verte triste.

[164] *adivinar:* descubrir algo.

Melibea.- Buena vieja, alégrame tú, que grandes cosas me han dicho de lo mucho que tú sabes. Por amor de Dios, te pido que me des algún remedio.

Celestina.- Gran parte de la salud es desearla, por eso creo que es menos peligroso tu dolor. Pero para que yo te dé, con la ayuda de Dios, la medicina que necesitas, debo saber de ti tres cosas. La primera, qué parte de tu cuerpo tiene más sentimiento. Otra, si es la primera vez que lo sientes, porque más pronto se curan las enfermedades en sus principios. La tercera, si viene de algún mal pensamiento. Y cuando esto sepa, podré sanarte. Además, debes saber que al médico, como al confesor[165], se le cuenta toda la verdad abiertamente.

[165] *confesor:* en la religión católica, sacerdote ante quien se dicen en secreto los pecados.

Melibea.- Amiga Celestina, mujer sabia y maestra grande, mucho has abierto el camino para que te diga mi mal. Tú lo pides como mujer que sabe muy bien curar estas enfermedades: mi mal es de corazón, la teta izquierda es donde más lo siento. Lo segundo, es nuevo en mi cuerpo. Que no pensé jamás que un dolor podía quitar el seso, como éste hace. Se me cambia la cara, me quita el comer, no puedo dormir, ninguna risa quiero ver. La causa o pensamiento, que es la última cosa que me has preguntado, no sabré decirte. Porque nada me ha alterado, menos lo que creí que me pedías para aquel caballero Calisto, cuando me pediste la oración.

Celestina.- ¿Cómo, señora? ¿Tan mal hombre es? ¿Tan mal nombre es el suyo? No creas que sea esa la causa de tu sentimiento, sino otra que yo pienso. Y si me lo permites, señora, te la diré.

Melibea.- ¿Permiso necesitas para darme la salud? Di, di, si no causas daño a mi buen nombre.

Celestina.- Veo, señora, que por una parte te quejas del dolor; y por otra, tienes miedo a la medicina. Tu temor me da miedo; el miedo, silencio. Y así, ni tu dolor desaparecerá ni mi venida servirá.

Melibea.- Cuanto más tardas, más grande es la pena y pasión que siento.

Celestina.- Señora, si quieres sanar, debes estar tranquila y tener paciencia. Así podrá trabajar la antigua maestra de estas llagas[166].

[166] *llaga:* herida abierta.

Melibea.- ¡Oh, cómo me muero con lo que tardas! Di, por Dios, lo que quieras, haz lo que sepas, aunque toque mi buen nombre, aunque me haga daño en el cuerpo, aunque sea romper mis carnes para sacar mi dolorido corazón.

Lucrecia.- (El seso tiene perdido mi señora.

Celestina.- ¿Nunca me va a faltar un diablo? Me voy de Pármeno y doy con Lucrecia.)

Melibea.- ¿Qué dices, amada maestra? ¿Qué te hablaba esa moza?

Celestina.- No oía nada. Pero diga lo que diga, debes saber que es muy necesario para tu salud que no esté nadie delante; así es que debes mandarla salir. Y tú, hija Lucrecia, perdona.

Melibea.- Salte fuera pronto.

Lucrecia.- (¡Ya, ya! ¡Todo está perdido!) Ya me salgo, señora.

Celestina.- También es necesario traer de casa de aquel caballero Calisto más clara medicina y mejor descanso.

Melibea.- Calla, por Dios, madre. Que no traigan nada de su casa, ni lo nombres aquí.

Celestina.- Ten paciencia, señora, que es el punto primero y principal. Si no, todo nuestro trabajo estará perdido. Tu herida es grande y tiene necesidad de dura cura. Ten paciencia, que pocas veces lo molesto sin molestia se cura. Y un clavo[167] con otro se saca, y un dolor con otro. No tengas odio ni desamor, ni permitas a tu lengua decir mal de persona tan buena como Calisto...

[167] *clavo:* aquí, punta metálica que se hunde en la madera u otro material y sirve para unir dos trozos.

Melibea.- ¡Oh, por Dios, que me matas! ¿No te he dicho que no me hables de ese hombre, ni en bueno ni en malo[168]?

[168] *ni en bueno ni en malo:* ni cosas buenas ni cosas malas

Celestina.- Señora, éste es el segundo punto: si no quieres pasar ningún mal, de poco valdrá mi venida; y si, como prometiste, lo pasas, quedarás sana y sin dolor, y Calisto quedará pagado.

Melibea.- ¿Cuántas veces me nombrarás a ese caballero? ¿De qué tiene que quedar pagado? ¿Qué le debo yo a él? ¿Qué ha hecho por mí? ¿Qué necesario es él aquí para sanar mi mal? Más agradable es que me saques del cuerpo el corazón, que traer aquí esas palabras.

Celestina.- Sin romperte los vestidos ha crecido en tu pecho el amor; no te romperé las carnes para curarte.

Melibea.- ¿Cómo dices que llaman al dolor que así ha entrado en lo mejor de mi cuerpo?

Celestina.- Amor dulce.

Melibea.- ¿Qué es eso que me dices, que sólo con oírlo me alegro?

Celestina.- Es un fuego escondido, una agradable herida, un dulce veneno, un alegre tormento, una blanda muerte.

Melibea.- ¡Ay, pobre de mí! Si es verdad lo que dices, no sé si podré sanar.

Celestina.- Que tu noble juventud no dude, señora, de tu salud: cuando el alto Dios da la herida, también da luego el remedio. Y yo sé que existe en el mundo una flor que de todo esto te puede librar.

Melibea.- ¿Cómo se llama?

Celestina.- No sé si puedo decírtelo.

Melibea.- Di, no temas.

Celestina.- Calisto... ¡Oh, por Dios, señora Melibea! ¡Qué poco fuerte eres! ¡Oh, pobre de mí! ¡Levanta la cabeza! ¡Oh, desgraciada vieja! ¿Aquí van a terminar mis pasos? Si ella muere, me matarán. Señora mía, Melibea, ángel mío, ¿qué has sentido? ¿Por qué no hablas? ¿Qué es de tu color alegre? Abre tus claros ojos. ¡Lucrecia! ¡Lucrecia! ¡Entra pronto! Verás que está muriéndose tu señora entre mis manos. Baja pronto por agua.

Melibea.- Para, para, que tendré fuerzas. No escandalices[169] la casa.

[169] *escandalizar:* aquí, hacer mucho ruido, provocando la alerta de alguien.

Celestina.- ¡Oh, desgraciada de mí! No estés triste, señora, háblame como siempre me hablas.

Melibea.- Y mejor. Calla, no me fatigues.

Celestina.- Pues ¿qué me mandas que haga, perla graciosa? ¿Qué has sentido?

Melibea.- Se ha roto mi honestidad, he perdido mi mucha vergüenza y no han podido despedirse de mi cara sin llevarse su color durante un poco de tiempo, mi fuerza, mi lengua y gran parte de mi sentido. ¡Oh, mi nueva maestra, mi fiel secretaria[170]! Ya no puedo ocultarte lo que tú tan bien conoces. Muchos y muchos días han pasado desde que ese noble caballero me habló de amor.

[170] *secretaria:* aquí, persona que guarda un secreto.

Con mi cordón te llevaste mi libertad. Mucho te debe ese señor, y más te debo yo, que has sacado de mi pecho lo que jamás a ti ni a otro pensé descubrir.

Celestina.- Amiga y señora mía, es verdad que tuve grandes dudas antes de descubrirte mi petición. Y ya que así, señora, has querido descubrir tu voluntad, deja en mis manos tus secretos. Yo haré que tu deseo y el de Calisto sean pronto cumplidos.

Melibea.- ¡Oh, mi Calisto y mi señor! ¡Mi dulce y suave alegría! Si tu corazón siente lo que ahora siente el mío, no sé cómo puedes vivir. ¡Oh, mi madre y mi señora! Haz que luego pueda verlo, si mi vida quieres.

Celestina.- Verlo y hablarle.

Melibea.- ¿Hablarle? Es imposible.

Celestina.- Ninguna cosa es imposible si los hombres quieren hacerla.

Melibea.- Dime cómo.

Celestina.- Ya lo tengo pensado, te lo diré: por las puertas de tu casa.

Melibea.- ¿Cuándo?

Celestina.- Esta noche.

Melibea.- Di a qué hora.

Celestina.- A las doce.

Melibea.- Pues ve, mi señora, mi leal amiga, y habla con aquel señor, y que venga sin ruido, que allí estaré, a la hora que has ordenado.

Celestina.- Adiós, que viene tu madre.

Melibea.- Amiga Lucrecia, mi leal criada y fiel secretaria, ya has visto que no he podido más: el amor de aquel caballero me ha quitado la voluntad. Por Dios te pido que todo quede en secreto, para que yo tenga tan suave amor. Tú vendrás conmigo a aquel lugar.

Lucrecia.- Señora, desde hace mucho he sentido tu herida y he sabido tu deseo. Se veían en el color de tu cara, en la poca tranquilidad de tu corazón, en comer sin gana, en no dormir. Ahora ya sólo puedes morir o amar.

Alisa.- Hija Melibea, ¿qué quería la vieja?

Melibea.- Señora, venderme un poquito de perfume.

Alisa.- Ten cuidado de ella, hija, que es muy traidora. Y el ladrón[171] siempre anda cerca de las casas ricas. Ella sabe bien cambiar las buenas intenciones. Malo es cuando entra tres veces en una casa.

Lucrecia.- (Tarde lo recuerda nuestra ama.)

Alisa.- Por amor mío, hija, si vuelve aquí de nuevo la vieja sin verla yo, no la recibas con gusto, y jamás volverá.

Melibea.- Así será. Mucho me alegra, señora, saber de quién me tengo que guardar.

[171] **ladrón:** persona que coge algo de otra persona, contra su voluntad.

Undécimo Acto

Sempronio.- Señor, mira que todos pueden hablar de tu estado[172]. Si sientes pasión, que sea en tu casa. No descubras tu pena a los extraños, pues está el asunto en manos de quien lo sabrá arreglar.

Calisto.- ¿En qué manos?

Sempronio.- De Celestina.

Celestina.- ¿Por qué nombráis a Celestina? ¿Qué decís de esta esclava de Calisto? Toda la calle vengo corriendo detrás de vosotros, y no he podido por culpa de mis largas faldas.

Calisto.- ¡Oh, joya del mundo, consuelo de mis pasiones! El corazón se me alegra al ver a esa buena y noble vieja. Dime, ¿qué noticias traes, que te veo alegre y no sé dónde está mi vida?

Celestina.- En mi lengua.

Calisto.- ¿Qué dices, gloria y descanso mío? Dime más.

Celestina.- De aquí a casa te contaré una cosa con que te alegrarás de verdad.

Pármeno.- (Buena viene la vieja, hermano; algo ha sacado.

Sempronio.- Escúchala.)

Celestina.- Todo este día, señor, he trabajado en tu negocio y he dejado perder otros en los que me iba mucho[173]. He dejado de ganar más de lo que piensas. Pero te traigo muchas buenas palabras de Melibea, y la dejo a tu servicio.

173 *otros (negocios) en los que me iba mucho:* otros (negocios) con los que podía ganar o perder mucho.

Calisto.- ¿Qué es esto que oigo?

Celestina.- Que es más tuya que de ella misma; más está en tus manos que en las de su padre Pleberio.

Calisto.- Habla bien, madre, no digas eso, que dirán estos mozos que estás loca. Melibea es mi señora, Melibea es mi Dios, Melibea es mi vida; yo, su prisionero; yo, su esclavo.

Sempronio.- Mucho hablas, señor. Dale algo por su trabajo: harás mejor, que eso es lo que esperan sus palabras.

Calisto.- Bien has dicho. Madre mía, yo sé que jamás mi pobre regalo será igual a tu trabajo. Toma esta cadenilla[174], póntela al cuello y sigue hablando, para mi alegría.

[174] *cadenilla:* diminutivo de *cadena.*

Pármeno.- (¡Cadenilla la llama! ¿No lo oyes, Sempronio?

Sempronio.- Te va a oír nuestro amo. Por mi amor, hermano: oye y calla, que por eso te dio Dios dos oídos y una lengua sola.

Pármeno.- ¡Antes me oirá el diablo! Está colgado de la boca de la vieja, sordo y mudo y ciego.

Sempronio.- Calla, oye, escucha bien a Celestina, que mucho dice.)

Celestina.- Calla, calla, mucho es para esta vieja, pero todo regalo es grande o chico según el que lo da. En pago, te devuelvo tu salud, que tenías perdida; tu corazón, que te faltaba; tu seso, que se te iba. Melibea llora por ti más que tú por ella. Melibea te ama y desea verte, Melibea piensa más horas en tu persona que en la suya, Melibea dice que es tuya y sufre el fuego que a ella la quema más que a ti.

Calisto.- Mozos, ¿estoy yo aquí? Mozos, ¿oigo yo esto? Mozos, ¿estoy despierto? ¿Es de día, o de noche? ¡Oh, señor Dios, padre celestial! ¡Te pido que esto no sea un sueño! ¡Despierto estoy! No te rías de mí, señora; di la verdad.

[175] *yendo:* gerundio del verbo *ir.*

Celestina.- Si me río o si no, tú mismo lo verás yendo[175] esta noche, cuando dé el reloj las doce, a hablarle por las puertas de su casa. De su boca sabrás más y mejor su deseo y el amor que te tiene, y quién lo ha causado.

Calisto.- ¿Tal cosa es posible que a mí me pase? Muerto estoy desde ahora hasta entonces. No soy capaz de tanta gloria, no soy digno de hablar con tal señora.

Celestina.- Siempre oí decir que es más difícil sufrir la buena fortuna que la mala. ¿Cómo, señor Calisto, no miras tú quién eres? ¿No miras el tiempo que has gastado en su servicio? ¿No miras a quién has puesto entre tú y ella? Ahora que te digo el fin de tus penas, ¿quieres poner fin a tu vida? Mira, mira que Celestina está de tu parte[176]. Mal conoces a quien das tu dinero.

[176] *estar de parte de alguien:* estar a favor de alguien.

Calisto.- ¡Pero, señora! ¿Qué me dices? ¿Que vendrá por su voluntad?

[177] *y hasta:* e incluso, y además.

Celestina.- Y hasta[177] de rodillas. Ya he hecho todo lo que me habías pedido. Alegre te dejo. Me voy muy contenta. Si quieres mis servicios para más cosas, sabes dónde estoy.

Pármeno.- (¡Hi! ¡Hi! ¡Hi!

Sempronio.- ¿De qué te ríes, por tu vida, Pármeno?

Pármeno.- De la prisa que la vieja tiene por irse. No ve la hora de marcharse con la cadena. No puede creer que se la hayan dado de verdad.

Sempronio.- ¿Qué quieres que haga una puta vieja cuando se ve cargada de oro? ¡Pues ponerse a salvo con lo que le han dado, con miedo de que se lo vuelvan a tomar!)

Calisto.- Dios vaya contigo, mi madre. Yo quiero dormir y descansar un rato.

Duodécimo Acto

Calisto.- Mozos, ¿qué hora da el reloj?

Sempronio.- Las diez.

Pármeno.- Bueno será, señor, emplear la hora que queda en preparar las armas.

Calisto.- ¡Bien me dices! Descuelga, Pármeno, mis corazas[178], y coged vosotros vuestras armas, y así iremos bien preparados.

[178] *coraza:* pieza metálica que se utilizaba en la lucha para no ser herido en el pecho o en la espalda.

Pármeno.- Aquí están, señor.

Calisto.- Ayúdame ahora a vestirme. Mira tú, Sempronio, si aparece alguien por la calle.

Sempronio.- Señor, ninguna gente hay; y, si la hay, la mucha oscuridad no deja que nos vean ni que nos reconozcan.

Calisto.- Pues andemos por esta calle, aunque demos alguna vuelta, porque vamos más ocultos. Las doce da ya el reloj: buena hora es.

Pármeno.- Cerca estamos.

Calisto.- A buen tiempo llegamos. Párate tú, Pármeno, a ver si ha venido aquella señora y está detrás de las puertas.

Pármeno.- ¿Yo, señor? Mejor será que tu presencia sea su primer encuentro, porque a lo mejor, al verme a mí, siente vergüenza de ver que tantos saben lo que tan ocultamente ella quería hacer y con tanto miedo hace. O a lo mejor piensa que te has reído de ella.

Calisto.- ¡Oh, qué bien has dicho! La vida me has dado. Yo voy; quedaos vosotros en ese lugar.

Pármeno. ¿Qué te parece, Sempronio, cómo nuestro amo pensaba mandarme a mí al primer peligro? ¿Qué sé yo quién está detrás de las puertas cerradas? ¿Qué sé yo si hay alguna traición? ¿Qué sé yo si Melibea quiere que nuestro amo le pague su atrevimiento de esta manera? Y más aún, no estamos muy seguros de que la vieja haya dicho la verdad. Tengo que pensar que hoy volví a nacer, puesto que de este peligro me escapé.

Sempronio.- Paso, paso[179], Pármeno. No saltes ni hagas tanto ruido, que te van a oír. Ya estará ahí Melibea. Escucha qué bajito hablan.

Pármeno.- ¡Oh, cómo temo que no sea ella, sino alguno que finja su voz!

Sempronio.- Dios nos libre de traidores, y que no nos hayan tomado la calle por donde tenemos que huir; de otra cosa no tengo temor.

Calisto.- Ese ruido, más de una persona lo hace. Quiero hablar, sea quien sea. ¡Señora mía!

Lucrecia.- La voz de Calisto es ésa. ¿Quién habla? ¿Quién está fuera?

Calisto.- El que viene a cumplir tus órdenes.

Lucrecia.- ¿Por qué no vienes, señora? Ven aquí sin temor, que está el caballero.

Melibea.- ¡Loca, habla más bajo! Mira bien si es él.

Lucrecia.- Acércate, señora, que sí es, que yo lo conozco en la voz.

Calisto.- ¡No era Melibea la que me habló! Oigo ruido. ¡Perdido estoy! Pues viva o muera, no he de marcharme de aquí.

Melibea.- Vete, Lucrecia, aléjate un poco. ¡Señor! ¿Cómo es tu nombre? ¿Quién te mandó venir?

Calisto.- No temas, que el dulce sonido de tu habla me certifica que eres tú mi señora Melibea. Yo soy tu esclavo Calisto.

Melibea.- Tus mensajes me han obligado a hablarte, señor Calisto. No sé qué más piensas sacar de mi amor. Aparta de ti tus locos pensamientos, y que mi persona y mi buen nombre estén seguros. Para eso he venido aquí. No quieras ponerme en las lenguas maldicientes[180].

Calisto.- ¡Oh, pobre Calisto! ¡Oh, cómo se han reído de ti tus sirvientes! ¡Oh, Celestina, vieja mentirosa! ¿Por qué cambiaste la palabra de ésta mi señora? ¿Para qué me mandaste venir aquí? ¿Para oír la desconfianza y el odio saliendo de la misma boca de quien tiene las llaves de mi perdición y gloria? ¡Oh, enemiga! ¿Y tú me dijiste que ésta mi señora me era favorable? ¿No me dijiste que de buena gana me mandaba venir a este lugar? ¿En quién creeré yo?

Melibea.- Calla, señor mío. Tú lloras de tristeza, pensando que soy cruel; yo lloro de placer, viendo que eres tan fiel. ¡Oh, mi señor y mi bien! ¡Más quiero verte que oír tu voz! Pero ahora no puede hacerse más; toma la firma de las razones que te mandé escritas en la lengua de aquella mensajera. Todo lo que te dijo es verdad. Limpia, señor, tus ojos; haz conmigo según tu voluntad.

Calisto.- ¡Oh, señora mía, descanso y paz de mi pena, alegría de mi corazón! ¿Qué lengua será bastante para darte gracias por querer que un hombre tan indigno pueda tener tu suavísimo amor? ¡Oh, cuántas veces antes de ahora pensé todo esto en mi corazón, y por imposible lo alejaba de mí, hasta ahora que me veo oyendo tu suave voz! Pero no sé si soy yo, Calisto, a quien tanto bien se le hace.

[180] *poner en lenguas maldicientes:* dar lugar a que se digan cosas malas de alguien.

V. O. nº 8 en pág. 113

Melibea.- Señor Calisto, aunque muchos días he luchado por ocultarlo, al volver a oír tu dulce nombre en boca de aquella mujer, he descubierto mi deseo y he venido a este lugar, donde te ruego que ordenes y dispongas de mi persona según quieras. Estas puertas que yo maldigo nos impiden nuestro gozo.

[181] *consentir*: permitir.

Calisto.- ¿Cómo, señora mía, mandas que consienta[181] a una puerta impedir nuestro gozo? Siempre pensé que sólo tu voluntad podía hacerlo. ¡Oh, molestas puertas! Pido a Dios que os queme el mismo fuego que a mí me quema. Permíteme, por Dios, señora mía, que llame a mis criados para que la rompan.

[182] *dar mal año*: causar un daño muy grande durante mucho tiempo.

Pármeno.- (¿No oyes, no oyes, Sempronio? Quiere venir a buscarnos para que nos den mal año[182]. No me gusta nada haber venido. Yo no espero más aquí.

Sempronio.- Calla, calla, escucha, que ella no permite que vayamos allá.)

Melibea.- ¿Quieres, amor mío, perderme a mí y dañar mi buen nombre? No dejes suelta la voluntad. Y puesto que tú sientes sólo tu pena y yo, la de ambos; tú, sólo tu dolor; yo, el tuyo y el mío, alégrate con venir mañana a esta hora por el muro de mi huerto. Que si ahora rompes las puertas y nadie nos oye, mañana aparecerá en casa de mi padre terrible sospecha de mi falta, al momento lo sabrá toda la ciudad.

Sempronio.- (¡En mala hora vinimos esta noche! Aquí nos va a coger el día, según lo despacio que nuestro amo lo toma. Y seguro que en tanto tiempo nos va a oír algún vecino.

Pármeno.- Ya hace dos horas que te digo que debemos irnos.)

Calisto.- ¡Oh, mi señora y mi bien todo! ¿Por qué llamas falta a lo que los santos de Dios permitieron? Rezando

[183] **altar:** especie de mesa, generalmente de piedra, sobre la que se realizan celebraciones religiosas.

hoy ante el altar[183] de la Magdalena, me vino con tu mensaje alegre aquella buena mujer.

Pármeno.- ¡Loco está Calisto! Lo que la vieja traidora ha hecho, dice que los santos de Dios se lo han concedido. Y por eso quiere romper las puertas. No habrá dado el primer golpe, cuando ya estén oyéndolo y cogiéndolo los criados de su padre, que duermen cerca.

Sempronio.- Ya no temas, Pármeno, que bastante lejos estamos. Si oímos ruido, fácilmente podremos huir. Déjalo hacer, que si mal hace, él lo pagará.

Pármeno.- Bien hablas. Huyamos de la muerte, que somos mozos. No querer morir ni matar no es cobardía, sino algo natural. ¡Y, por Dios, que creo que correré como nadie, según el miedo que tengo de estar aquí!

Sempronio.- ¡Escucha, escucha! ¿Oyes, Pármeno? ¡Algo malo está ocurriendo! ¡Muertos somos! Corre pronto hacia casa de Celestina, que no nos corten el camino por nuestra casa.

Pármeno.- ¡Huye, huye, que corres poco! ¡Oh, pecador de mí!

Sempronio.- ¿Y si han dado ya muerte a nuestro amo?

Pármeno.- No sé, no me digas nada; corre y calla.

Sempronio.- ¡Pármeno! ¡Pármeno! Vuelve, vuelve callando, que es sólo la gente del alguacil[184], que pasaba haciendo ruido por la otra calle.

[184] **alguacil:** oficial de la Justicia.

Pármeno.- Míralo bien. No te fíes de los ojos, que muchas veces parece una cosa por otra. Tragada[185] tenía ya la muerte, que me parecía que me iban dando golpes en las espaldas. En mi vida me acuerdo haber pasado tan gran temor, aunque he andado por casas ajenas mucho

[185] **tragada:** en sentido figurado, admitida, aceptada.

tiempo, y en lugares de mucho trabajo. Pero nunca como esta vez tuve miedo de morir.

Sempronio.- Vuelve, vuelve, que era el alguacil.

Melibea.- Señor Calisto, ¿qué es eso que en la calle suena? Parecen voces de gente que va huyendo. Por Dios, ten cuidado, que estás en peligro.

Calisto.- Señora, no temas, que bien seguro vengo. Los míos deben de ser, que son unos locos y desarman a cuantos pasan, y alguno huiría corriendo.

Melibea.- ¿Son muchos los que traes?

Calisto.- No, sólo dos; pero aunque sean seis sus contrarios, no tendrán mucho trabajo para quitarles las armas y hacerlos huir.

Melibea.- Mucho placer tengo que andes acompañado de gente tan fiel.

Pármeno.- ¡Señor, señor! Quítate pronto de ahí, que viene mucha gente con hachas[186], y serás visto y conocido, que no tienes donde meterte.

Calisto.- ¡Oh, pobre de mí, que debo ahora separarme de ti, señora! Los ángeles queden contigo. Mi venida será, como ordenaste, por el huerto.

Melibea.- Así sea, y vaya Dios contigo.

Pleberio.- Señora mujer, ¿duermes? ¿No oyes ruido en la habitación de tu hija?

Alisa.- Sí oigo. ¡Melibea! ¡Melibea!

Pleberio.- No te oye; yo la llamaré más fuerte. ¡Hija mía, Melibea!

Melibea.- ¿Señor?

[186] **hacha:** aquí, luz que se lleva en el extremo de un palo.

Pleberio.- ¿Quién da patadas y hace ruido en tu habitación?

Melibea.- Señor, Lucrecia es, que salió por un jarro de agua para mí, que tenía gran sed.

Pleberio.- Duerme, hija, que pensé que era otra cosa.

Lucrecia.- (Poco ruido los despertó. Con gran miedo hablaban.

Melibea.- ¿Qué harán si saben que he salido?)

Sempronio.- Debes, señor, descansar y dormir lo que queda de aquí al día.

Calisto.- Bien lo necesito. ¿Qué te parece, Pármeno, de la vieja de la que tú tan mal me hablabas?

Pármeno.- Ni yo sentía tu gran pena, ni conocía la gentileza de Melibea, y por eso no tengo culpa. Conocía a Celestina y sus artes. Te avisaba como a señor; pero ya me parece que es otra.

Calisto.- ¿Habéis oído lo que con mi señora he pasado? ¿Qué hacíais? ¿Teníais miedo?

Sempronio.- ¿Miedo, señor? Allí estuvimos esperándote, muy preparados y con las armas muy a mano[187].

[187] *a mano:* al alcance de la mano, cerca.

Calisto.- ¿Habéis dormido algún rato?

Sempronio.- ¿Dormir, señor? Nunca me senté, ni siquiera junté los pies, mirando a todas partes para saltar pronto y hacer todo lo posible gracias a mis fuerzas. Y Pármeno también, que hasta ahora te parecía que no te servía de buena gana.

Calisto.- Ya dije a mi señora Melibea lo que en vosotros hay, y lo seguras que tenía mis espaldas con vuestra ayuda. Hijos, mucho os debo. Os pagaré muy bien vuestro buen servicio. Id con Dios a descansar.

Pármeno.- ¿A dónde iremos, Sempronio? ¿A la cama a dormir, o a la cocina a comer?

Sempronio.- Ve tú donde quieras; que antes de que venga el día, quiero ir yo a casa de Celestina a cobrar mi parte de la cadena, que es una puta vieja. No quiero darle tiempo a que fabrique alguna idea para dejarnos fuera del negocio.

Pármeno.- Bien dices, lo había olvidado. Vamos ambos, y si quiere dejarnos fuera, haremos que le pese[188]. Que en cosas de dinero no hay amistad.

[188] *pesar:* aquí, lamentar.

Sempronio.- ¡Calla, calla! Que duerme junto a esta ventanilla. ¡Tha, tha! Señora Celestina, ábrenos a Pármeno y a Sempronio, que venimos a comer contigo.

Celestina.- ¡Oh, locos! Entrad, entrad. ¿Cómo venís a tal hora, que ya empieza a ser de día? ¿Qué habéis hecho? ¿Qué os ha pasado? ¿Le queda aún esperanza a Calisto, o vive todavía con ella, o cómo queda?

Sempronio.- ¿Cómo, madre? Gracias a nosotros, no anda ya su alma buscando posada para siempre.

Celestina.- ¡Jesús! ¿En peligro tan grande os habéis visto? Cuéntamelo, por Dios. ¿Qué os ha pasado?

Sempronio.- Por Dios, sin seso vengo, desesperado. Traigo, señora, todas las armas rotas, que no tengo con qué dar un paso con mi amo cuando necesite de mí. Y quedó de acuerdo para ir esta noche a verse con Melibea por el huerto. ¿Cómo comprarlas de nuevo? No tengo un maravedí[189].

[189] *maravedí:* moneda antigua.

Celestina.- Pídelo a tu amo, hijo, pues en su servicio se rompieron. Él te dará para eso y para más.

Sempronio.- También trae Pármeno perdidas las suyas. En armas se le irá todo lo que tiene. ¿Cómo quieres que le pida más de lo que él por su propia voluntad hace, que ya es mucho? Nos dio las cien monedas, nos dio después la cadena. Caro le iba a costar este negocio. Tenemos que ser razonables, no lo perdamos todo por querer más de la razón.

[190] *despedirse:* aquí, olvidarse de algo, darlo por imposible.
[191] *calzas:* prenda de vestir que cubría las piernas.
[192] *grana:* color rojo oscuro.

Celestina.- ¡Gracioso es el asno! ¿Estás en tu seso, Sempronio? ¿Qué tiene que ver tu premio con mi salario? ¿Estoy yo obligada a pagar vuestras armas? Que me maten si no te has agarrado a una palabrilla que te dije el otro día viniendo por la calle, que todo lo que yo tenía era tuyo. Le di a esa loca de Elicia, cuando vine de tu casa, la cadenilla que traje, y no puede acordarse de dónde la puso. Que, en toda esta noche, ni ella ni yo hemos dormido. No por el valor de la cadena, que no era mucho, pero porque entraron unos conocidos y familiares míos, y temo que se la hayan llevado. Así es que, hijos, ahora quiero deciros a ambos: si algo a mí me dio vuestro amo, debéis mirar que es mío. Que, si me ha dado algo, dos veces he puesto por él mi vida en juego. Y tenéis que pensar, hijos, que todo me cuesta dinero, y también mi saber, que no lo he alcanzado sin trabajo. Pero, a pesar de todo lo que he dicho, no os despidáis[190] de dos pares de calzas[191] grana[192], si mi cadena aparece. Y si no, yo me callaré con mi pérdida.

Sempronio.- No es ésta la primera vez que digo cuánto reina en los viejos el vicio de la codicia. ¡Oh, Dios, quién la oyó a esta vieja decir que todo el beneficio era para mí, pensando que el negocio era poco! Ahora que lo ve crecido, no quiere darme nada, por cumplir el refrán de los niños, que dice: "De lo poco, poco; de lo mucho, nada."

Pármeno.- Que te dé lo que te prometió, o se lo tomaremos todo. Ya te decía yo quién era esta vieja.

Celestina.- Si muy enfadado estáis con vosotros o con vuestro amo, no lo paguéis conmigo. Que bien sé de dónde nace esto. No de la necesidad que tenéis de lo que pedís, ni por la mucha codicia que tenéis, sino de que creéis que os voy a tener toda vuestra vida atados a Elicia y Areúsa, sin querer buscaros a otras. Pues quien éstas supo traeros, os dará otras diez. Y si sé o no cumplir lo que prometo, que lo diga Pármeno. Dilo, dilo, cuenta qué pasó la otra noche.

Sempronio.- Deja ya de hablar. Danos las dos partes de lo que has recibido de Calisto, no quieras que se descubra quién eres tú.

Celestina.- ¿Quién soy yo, Sempronio? Calla tu lengua, que soy una vieja como Dios me hizo, no peor que otras. Vivo de mi oficio, como cada uno vive del suyo, muy limpiamente. A quien no me quiere, no lo busco. De mi casa me vienen a sacar, en mi casa me piden. Déjame en mi casa con mi fortuna. Y tú, Pármeno, ¿piensas que soy tu esclava porque sabes mis secretos y mi pasada vida, y todo lo que nos pasó a mí y a la desgraciada de tu madre?

Pármeno.- No me calientes la cabeza con esas memorias; si no, te mandaré a ella a darle noticias mías.

Celestina.- ¡Elicia! ¡Elicia! Levántate de la cama, dame mi manto, pronto. Que, por los santos de Dios, me voy a buscar justicia, gritando como una loca. ¿Qué es esto? ¿Con una vieja de sesenta años sois vosotros tan valientes? ¡Allá, allá con los hombres como vosotros! ¡Contra los que tienen espada! Como nos veis mujeres, habláis y pedís demasiado.

[193] *garganta:* parte del cuerpo por donde pasan los alimentos al ser tragados.

Sempronio.- ¡Oh, vieja codiciosa, garganta[193] muerta de sed por dinero! ¿No estarás contenta con la tercera parte de lo ganado?

Celestina.- ¿Qué tercera parte? Vete con Dios de mi casa. Y ese otro, que no dé voces. No me hagáis salir de seso, no queráis que salgan a la plaza pública las cosas de Calisto y las vuestras.

Sempronio.- Da voces o gritos, que cumplirás lo que prometiste o se cumplirán hoy tus días[194].

Elicia.- Guarda, por Dios, la espada. Cógelo, Pármeno, cógelo, que no la mate este loco.

Celestina.- ¡Justicia! ¡Justicia! ¡Señores vecinos! ¡Justicia, que me matan en mi casa estos rufianes!

Sempronio.- ¿Rufianes? Espera, que yo te haré ir al infierno.

Celestina.- ¡Ay, que me ha muerto! ¡Ay, ay! ¡Confesión, confesión!

Pármeno.- Dale, dale, acábala, que nos van a oír. ¡Muera! ¡Muera! De los enemigos, los menos[195].

Celestina.- ¡Confesión!

Elicia.- ¡Oh, crueles enemigos! ¡Muerta está mi madre y mi bien todo!

Sempronio.- ¡Huye, huye, Pármeno, que viene mucha gente! ¡Que viene el alguacil!

Pármeno.- ¡Oh, pecador de mí! ¡Que no hay por dónde huir, que están todos frente a la puerta!

Sempronio.- Saltemos desde estas ventanas.

Pármeno.- Salta, que después de ti voy yo.

[194] *cumplirse los días de alguien:* morir.

[195] *de los enemigos, los menos:* es decir, cuantos menos enemigos se tengan, mejor.

V. O. nº 9 en págs. 113-114

Decimotercer Acto

Calisto.- ¡Oh, qué bien he dormido después de aquel angélico rato! Gran reposo he tenido. Muy cierto es que la tristeza hace pensar, y el mucho pensar impide el sueño, como a mí me ha ocurrido estos días por la desconfianza que tenía de la gloria que ahora ya poseo. ¡Oh, señora y amor mío, Melibea! ¿Qué piensas ahora? ¿Duermes, o estás despierta? ¿Piensas en mí, o en otro? ¿Estás levantada, o acostada? ¡Oh, dichoso Calisto, si verdad es que no ha sido sueño lo pasado! ¿Lo soñé, o no? ¿Fuc fantasía o pasó de verdad? Pero no estuve solo, mis criados me acompañaron. Dos eran; si ellos dicen que de verdad pasó, podré creerlo. Voy a mandar llamarlos para confirmar mejor mi gozo. ¡Tristanico!

Tristán.- Señor, levantado estoy.

Calisto.- Corre, llama a Sempronio y a Pármeno.

Tristán.- Ya voy, señor.

Tristán.- Señor, no hay ningún mozo en casa.

Calisto.- Pues abre esas ventanas, verás qué hora es.

Tristán.- Señor, bien de día.

Calisto.- Pues vuelve a cerrarlas y déjame dormir hasta que sea hora de comer.

[196] *correr toros:* fiesta popular que consiste en correr delante de los toros.
[197] *desgreñado:* con el pelo sin arreglar.

Tristán.- Quiero bajarme a la puerta, para que duerma mi amo sin que ninguno se lo impida. ¡Oh, qué gritos suenan en el mercado! ¿Qué es esto? Alguna justicia se hace, o madrugaron para correr toros[196]. No sé qué pensar de tan grandes voces como se dan. De allá viene Sosia. Él me dirá qué es esto. Desgreñado[197] viene. Por alguna taberna debe de haber pasado, y si mi amo se da cuenta de ello, mandará que le den dos mil palos. Parece que viene llorando. ¿Qué es esto, Sosia? ¿Por qué lloras? ¿De dónde vienes?

Sosia.- ¡Oh, desgraciado de mí! ¡Oh, qué pérdida tan grande! ¡Oh, tristeza de la casa de mi amo! ¡Oh, qué mal día amaneció! ¡Oh, desdichados mozos!

Tristán.- ¿Qué tienes? ¿Por qué te quejas? ¿Por qué te matas? ¿Qué mal es éste?

Sosia.- ¡Sempronio y Pármeno...! ¡Nuestros compañeros, nuestros hermanos...!

Tristán.- ¿Qué dices, Sempronio y Pármeno? ¿Qué es esto, loco? Habla claro. ¿Qué dices de estos mozos?

[198] *degollado:* con la cabeza cortada.

Sosia.- Que degollados[198] han quedado en la plaza.

Tristán.- ¡Oh, mala fortuna nuestra, si es verdad! ¿Lo viste tú mismo, o te lo contaron?

Sosia.- Ya sin sentido iban; pero el uno, con gran dificultad, como me notó que llorando lo miraba, volvió sus ojos hacia mí, levantando las manos al cielo, casi dando gracias a Dios, y como preguntándome si sentía su muerte. Y luego, como triste despedida, bajó la cabeza con lágrimas en los ojos, dando bien a entender que no me iba a ver más hasta el día del juicio final.

Tristán.- Vamos pronto con las tristes noticias a nuestro amo.

Sosia.- ¡Señor, señor!

Calisto.- ¿Qué es eso, locos? ¿No os dije que quería dormir?

[199] *malhechor:* persona que hace cosas en contra de la ley.
[200] *pregón:* comunicación pública, escrita o hablada.
[201] *delito:* acto en contra de la ley.

Sosia.- Levántate, que estamos perdidos. Sempronio y Pármeno quedan sin cabeza en la plaza como malhechores[199] públicos, con pregón[200] de su delito[201].

Calisto.- ¡Oh, Dios mío! ¿Y qué es esto que me dices? No puedo creerte tan triste cosa. ¿Los viste tú?

Sosia.- Yo los vi.

Calisto.- Mira lo que dices, que esta noche han estado conmigo.

Sosia.- Pues madrugaron para morir.

Calisto.- ¡Oh, mis leales criados! ¡Oh, mis grandes servidores! ¡Oh, mis fieles consejeros! ¿Puede ser tal cosa verdad? ¡Oh, Calisto! Sin buen nombre quedas para toda tu vida. ¿Qué será de ti, muertos tu par de criados? Dime, por Dios, Sosia, ¿cuál fue la causa? ¿Qué decía el pregón? ¿Dónde los cogieron? ¿Qué justicia lo hizo?

Sosia.- Señor, la causa de su muerte publicaba el verdugo[202] a voces, diciendo: "Manda la justicia que mueran los violentos matadores."

Calisto.- ¿A quién mataron tan pronto? ¿Qué puede ser esto? No hace cuatro horas que de mí se despidieron. ¿Cómo se llamaba el muerto?

Sosia.- Señor, era una mujer que se llamaba Celestina.

Calisto.- ¿Qué me dices?

Sosia.- Lo que oyes.

Calisto.- Pues si eso es verdad, mátame tú a mí, yo te perdono: que nada peor hay si Celestina es la muerta.

Sosia.- Ella misma es. Con más de treinta heridas la vi, echada en el suelo de su casa, llorándola una criada suya.

Calisto.- ¡Oh, tristes mozos! ¿Cómo iban? ¿Te vieron? ¿Te hablaron?

Sosia.- ¡Oh, señor, que si los ves, se te parte el corazón de dolor! El uno llevaba todos los sesos de la cabeza fuera, sin ningún sentido; el otro, rotos ambos brazos y la cara con muchos golpes. Todos llenos de sangre, que saltaron de unas ventanas muy altas por huir del alguacil; y así, casi muertos, les cortaron las cabezas, que creo que ya no sintieron nada.

Calisto.- Pues yo bien siento mi buen nombre. ¿Por qué no ha querido Dios que sea yo? Mejor era perder la vida que perder la esperanza de conseguir lo que deseo, que es lo que más siento en este triste caso. ¡Oh, mi buen nombre, cómo andas en juego, de boca en boca! ¡Oh, mis secretos más secretos, qué públicos andáis por las plazas! ¿Qué será de mí? ¿Adónde iré? ¿Que salga? Por los muertos no puedo ya hacer nada. ¿Que me esté aquí? Parecerá cobardía. ¿Qué consejo tomaré? Dime, Sosia, ¿cuál era la causa por la que mataron?

Sosia.- Señor, aquella criada, dando voces, llorando su muerte, la publicaba a todos los que querían oírla, diciendo que porque no quiso partir con ellos una cadena de oro que tú le diste.

Calisto.- ¡Oh, día de tristeza! ¡Y cómo anda mi nombre de lengua en lengua! Todo será público, lo que con ella y con ellos hablaba, lo que de mí sabían. No podré salir ante la gente. ¡Oh, mi gozo, cómo vas desapareciendo! Mucho había anoche alcanzado; mucho tengo hoy perdido. ¡Oh, fortuna, en cuántas partes has luchado contra mí! Pues, por muy contraria que seas a mi persona, con igual ánimo se tienen que sufrir las adversidades[203], y en ellas se prueba el corazón fuerte o flojo. No dejaré de cumplir la orden de aquella por quien todo esto se ha causado. Que más importante es la gloria que espero, que la pérdida de morir los que murieron. Dios permitió que todo así acabase para ellos y para la vieja. Sosia y Tristanico irán conmigo. Llevarán escalas[204], que son muy altas las paredes.

Decimocuarto Acto

Melibea.- Mucho tarda el caballero que esperamos. ¿Qué crees tú, Lucrecia?

Lucrecia.- Señora, que no está en su mano venir más pronto.

Melibea.- Que los ángeles lo guarden. Pienso muchas cosas que desde su casa hasta aquí podrían ocurrirle. Pero escucha, que suenan pasos en la calle y parece que hablan por esta parte del huerto.

Sosia.- Pon aquí esa escala, Tristán, que éste es el mejor lugar, aunque alto.

Tristán.- Sube, señor. Yo iré contigo, porque no sabemos quién está dentro. Hablando están.

Calisto.- Quietos, locos, que yo entraré solo, que a mi señora oigo.

[205] *estimar:* valorar.

Melibea.- Es tu esclava, es la que estima[205] más tu vida que la suya. ¡Oh, mi señor! No saltes desde tan alto. Baja, baja poco a poco por la escala, no vengas con tanta prisa.

Calisto.- ¡Oh, preciosa perla, ante quien el mundo es feo! ¡Oh, mi señora y mi gloria! En mis brazos te tengo y no lo creo. No llego a sentir todo el gozo que tengo.

[206] *enmendarse:* arreglarse, corregirse.

Melibea.- Señor mío, no quieras perderme en tan poco tiempo, que las cosas mal hechas, después de hechas, no pueden enmendarse[206]. Goza de lo que yo gozo, que es verte y estar contigo. No pidas ni tomes aquello que, si lo tomas, no estará en tu mano devolver. No quieras, señor, lo que con todos los tesoros del mundo no vuelve a tenerse.

V. O. nº 10 en págs. 114-115

Calisto.- Señora, ¿no quieres dejarme descansar de mis pasados trabajos?

Melibea.- Por mi vida, que aunque hable tu lengua todo lo que quiere, no hagan tus manos todo lo que pueden. Mira, señor mío, que ya soy tuya; pero no me quieras quitar el mayor regalo que la naturaleza me ha dado.

Calisto.- ¿Para qué, señora? ¿Para que no esté tranquila mi pasión? Perdona, señora, a mis manos, que jamás pensaron en tocar tu ropa; ahora gozan de llegar a tu gentil cuerpo, a tus lindas y delicadas carnes.

Melibea.- Apártate, Lucrecia.

Calisto.- ¿Por qué, señora? Bien me alegra si hay testigos de mi gloria.

Melibea.- Pero yo no quiero testigos de mi falta.

Sosia.- Tristán, ¿oyes lo que pasa? ¡Y cómo anda el negocio!

Tristán.- Oigo tanto, que creo que mi amo es el más feliz hombre que nació. Y, por mi vida, que aunque soy muchacho, yo podía hacerlo tan bien como mi amo.

Sosia.- Para esta joya, todos tienen manos; pero con su pan se lo coma[207], que bien caro le cuesta: dos mozos entraron en la salsa de estos amores.

Tristán.- Ya los tiene olvidados. Míralos a ellos alegres y abrazados, y a sus servidores, con la cabeza cortada.

Melibea.- ¡Oh, mi vida y mi señor! ¿Cómo has querido que pierda el nombre y la corona de virgen con tan breve placer? ¡Oh, traidora de mí, cómo no miré primero la gran falta que venía con tu entrada, el gran peligro que esperaba!

[207] *(con su pan se lo guise y) con su pan se lo coma:* es decir, que haga alguien con sus asuntos lo que mejor le parezca.

Sosia.- (Todas saben esa oración, después de que ya está hecho. ¡Y el bobo de Calisto se lo escucha!)

Calisto.- Ya quiere amanecer. ¿Qué es esto? ¡No me parece que hace una hora que estamos aquí, y da el reloj las tres!

Melibea.- Señor, por Dios, puesto que ya soy toda tuya, puesto que ya no puedes negar mi amor, no me niegues tu vista de día, y pasa por mi puerta. De noche, ven por este secreto lugar a la misma hora, para que siempre te espere con gozo. Y ahora, ve con Dios, que no serás visto; ni yo en casa oída.

Calisto.- Mozos, poned la escala.

Sosia.- Señor, aquí está. Baja. Tristán, debemos ir muy en silencio, porque a esta hora, alguien, al pasar, puede ser que oiga algo por donde todo su buen nombre y el de Melibea se pierdan.

Tristán.- ¡Oh, mozo simple! ¡Dices que callemos y nombras el nombre de él y de ella! Así que, callando, das voces y pregonas; preguntando, respondes.

Calisto.- Entrad callando, que no nos oigan en casa. Cerrad esa puerta y vamos a descansar, que yo me quiero subir solo a mi habitación. Id vosotros a vuestras camas. ¡Oh, pobre de mí! ¡Qué agradable son para mí la soledad y el silencio y la oscuridad! ¡Ay, ay! Ahora que ya está fría, siento la herida, ahora que está helada la sangre que ayer tan caliente estaba. ¿Qué hice después de la muerte de mis criados? ¿Cómo pude sufrirlo sin vengar[208] la injusticia que me fue hecha? ¿Por qué no salí a preguntar la verdad? ¡Oh, triste de mí! ¿Cuándo se olvidará tan grande pérdida? ¿Qué haré? ¿Qué consejo tomaré? ¿Con quién lo hablaré? ¿Por qué lo oculto a mis criados y a mis parientes? ¿Pero qué digo? ¿Con quién hablo? ¿Estoy en mi seso?

[208] *vengar:* hacer una persona que otra pague por un daño o por una ofensa cometidas.

¿Qué es esto, Calisto? ¿Sueñas, duermes o estás despierto? ¿Estás en pie o acostado? Mira que estás en tu habitación. Vuelve en ti. ¿Por qué no estoy contento después de todo lo que he alcanzado? No quiero nada más. De día estaré en mi habitación, de noche en aquel paraíso dulce, entre aquellas suaves plantas.

Sosia.- Tristán, ¿qué te parece cuánto duerme Calisto? Que son ya las cuatro de la tarde, y no nos ha llamado, ni ha comido.

Tristán.- Calla, que el dormir no quiere prisas. Además, por una parte siente la tristeza de aquellos mozos perdidos, y por otra siente la alegría del gran placer de lo que ha alcanzado con Melibea.

Sosia.- ¿Piensas tú que le dan pena los muertos? Pero mira lo que desde esta ventana yo veo ir por la calle.

Tristán.- ¿Quién es, hermano?

Sosia.- Ven aquí y la verás. Mira aquella mujer vestida de negro que se limpia ahora las lágrimas de los ojos. Es Elicia, criada de Celestina y amiga de Sempronio. Una muy bonita moza; aunque queda ahora perdida, porque tenía a Celestina por madre y a Sempronio por el principal de sus amigos. Y en la casa donde entra vive una hermosa mujer, enamorada, medio puta, pero bien feliz es quien la tiene como amiga sin pagar mucho; Areúsa se llama.

Decimoquinto Acto

Elicia.- ¿Qué son esas voces de mi prima?

Areúsa.- Vete de mi casa, mentiroso, que me tienes engañada y loca con tus mentiras, que me has robado todo lo que tengo. Yo te di mucho, te di armas y caballo y te puse con buen señor; ahora, una cosa sola te pido que por mí hagas, y me dices que no.

Centurio.- Hermana mía, mándame matar a diez hombres por tu servicio, pero no me pidas que ande una legua[209] de camino a pie.

[209] *legua:* medida antigua de longitud que en tierra corresponde a 5.572 m.

Areúsa.- ¿Por qué perdiste en el juego el caballo, loco? Tres veces te he librado de la justicia, cuatro veces he pagado lo que has perdido jugando. ¿Por qué lo hago? ¿Por qué te dejo entrar por mis puertas? ¿Qué tienes de bueno? Salte de aquí, que no te vea yo más, no me hables ni digas que me conoces; o por los huesos del padre que me hizo y de la madre que me parió, que yo hago que te den mil palos. Que ya sabes que tengo quien lo sabe hacer.

Centurio.- Alguna llorará. Pero voy a irme, que no sé quién entra y van a oírnos.

Areúsa.- ¡Ay, triste de mí! ¿Eres tú, mi Elicia? ¡Jesús, Jesús! No puedo creerlo. ¿Qué es esto? ¿Qué manto de tristeza es éste? Hermana mía, dime pronto qué cosa es, que me has dejado sin gota de sangre en el cuerpo.

Elicia.- ¡Gran dolor, gran pérdida! Más negro traigo el corazón que el manto. ¡Ay, hermana, hermana, que no puedo hablar! No puedo sacar la voz del pecho.

Areúsa.- ¡Ay, triste! Dímelo, no llores más. ¿Es de ambas ese mal? ¿Me toca también a mí?

Elicia.- ¡Ay, prima mía y mi amor! Sempronio y Pármeno ya no viven, ya no son de este mundo.

Areúsa.- ¿Qué me cuentas? No me digas. Calla, por Dios, que me caeré muerta.

Elicia.- Pues oye, que te contaré más penas. Celestina ya está dando cuenta de sus obras[210]. Mil cuchilladas vi que le daban delante de mis ojos; en mis brazos me la mataron.

[210] *dar cuenta de sus obras:* aquí, estar muerto.

Areúsa.- ¡Oh, fuerte pena! ¡Oh, terribles desastres[211]! ¡Oh, pérdida cruel! ¿Quién los mató? ¿Cómo murieron? Que estoy como quien oye una cosa imposible. No hace ocho días que los vi vivos, y ya podemos decir: que Dios los perdone. Cuéntame, amiga mía, cómo ha ocurrido.

[211] *desastre:* hecho inesperado, de consecuencias muy malas y, por lo general, sin solución.

Elicia.- Ya oíste hablar, hermana, de los amores de Calisto y la loca de Melibea. Bien sabes cómo Celestina alcanzó lo que Calisto deseaba, y éste, en pago, le dio a la desdichada de mi tía una cadena de oro. Y ella no quiso dar parte de ello ni a Sempronio ni a Pármeno. Pues una mañana que ellos pidieron su parte de la cadena a Celestina, ella les dijo que todo lo ganado era suyo. Así que ellos, muy enfadados, estuvieron gran rato en palabras[212]. Al fin, viéndola tan codiciosa, echaron mano a sus espadas y le dieron mil golpes.

[212] *estar en palabras:* discutir.

Areúsa.- ¡Oh, desdichada de mujer! ¡Y así tenía que terminar su vejez! ¿Y de ellos qué me dices? ¿En qué pararon[213]?

[213] *parar:* aquí, acabar.

Elicia.- Ellos, por huir de la justicia, que en aquel momento pasaba por allí, saltaron por las ventanas, y casi muertos los cogieron, y sin más tardar les cortaron la cabeza.

Areúsa.- ¡Oh, mi Pármeno y mi amor! ¡Y cuánto dolor me pone su muerte! Me pesa el gran amor que con él tan poco tiempo había tenido. Pero, puesto que ya no se pueden comprar sus vidas con lágrimas, no te canses tú tanto. No sufres tú mucho más que yo, y ya ves con cuánta paciencia lo paso.

Elicia.- ¡Ay, que no encuentro quien lo sienta como yo! No hay quien pierda lo que yo pierdo. ¡Oh, mejores fueron mis lágrimas en el dolor de otros que en el mío propio! ¿Adónde iré, que pierdo madre y pierdo amigo? ¡Oh, Calisto y Melibea, causa de tantas muertes! ¡Mal fin tengan vuestros amores, en mal sabor acaben vuestros dulces placeres! De lo que más dolor siento, es de ver que por eso no deja aquel loco de visitar cada noche a su Melibea.

Areúsa.- Calla, por Dios, hermana, pon silencio a tus penas, para tus lágrimas, vuelve a la vida. Que cuando una puerta se cierra, otra se abre. Y este mal, aunque duro, se calmará, y tenemos la venganza en la mano. ¿De quién mejor se puede tomar venganza? Déjame tú, que yo haré que no sean tan dulces sus amores. Y pondré en ello a aquel con quien me viste que daba voces cuando entrabas: él será peor verdugo para Calisto, que Pármeno y Sempronio para Celestina. Pues verá él los cielos abiertos[214] si vuelvo a hablarle. Ahora, hermana, dime tú de quién puedo yo saber cómo pasa el negocio de los amores.

[214] *ver los cielos abiertos:* sentir una gran alegría y esperanza.

Elicia.- Yo conozco, amiga, a otro compañero de Pármeno, mozo de caballos, que se llama Sosia, que lo acompaña cada noche.

Areúsa.- Yo le haré mil favores y promesas, hasta que no le deje en el cuerpo nada de lo hecho y por hacer. Y tú, Elicia, alma mía, no tengas pena. Pasa tu ropa a mi casa y vente conmigo, que estarás muy sola, y la tristeza es amiga de la soledad. Con nuevo amor olvidarás los viejos. Ya lo hecho no tiene remedio, y, como dicen, mueran los muertos y vivamos. Déjame a mí a los vivos, que yo les daré a beber la amarga bebida que a ti te han dado.

Elicia.- Te agradezco mucho lo que me dices de ir a tu casa. Pero, aunque quiera hacerlo para estar contigo, no podrá ser. No es necesario decir por qué, pues hablo con quien me entiende. Que allí, hermana, soy conocida. Jamás perderá aquella casa el nombre de Celestina. Siempre van allí mozas conocidas, medio parientas de las que ella crió. Allí hacen sus negocios, de donde algo podré sacar. Y también conocen la casa los pocos amigos que me quedan. Allí quiero estar, que también el alquiler[215] de la casa está pagado para todo el año. Y ya me parece que es hora de irme. Dios quede contigo, que me voy.

[215] *alquiler:* cantidad de dinero que se paga por la utilización temporal de algo.

Decimosexto Acto

Pleberio.- Alisa, amiga, el tiempo, según me parece, se nos va entre las manos. No hay cosa tan rápida como la vida. Y puesto que no sabemos cuándo vamos a ser llamados[216], debemos prepararnos para andar el camino. Pongamos orden con tiempo en nuestras cosas. Demos a nuestra única hija un marido según nuestra casa y lo que tenemos y somos. No hay nada mejor para la limpia fama en las vírgenes, que el casamiento siendo jóvenes.

Alisa.- Dios la conserve, mi señor Pleberio, y que nuestros deseos veamos cumplidos en nuestra vida. Pero como esto es cosa de los padres y no de las mujeres, yo estaré alegre con lo que tú mandes, y nuestra hija obedecerá.

Lucrecia.- ¡Ya, ya! ¡Lo mejor está perdido, que Calisto lo lleva! ¡Mala vejez se os prepara! ¡Tarde os acordáis! ¡Escucha, escucha, señora Melibea!

Melibea.- ¿Qué haces ahí escondida, loca?

Lucrecia.- Ven aquí, señora, oirás a tus padres la prisa que tienen por casarte.

Melibea.- Calla, por Dios, que te oirán. Déjalos hablar. Un mes hace que no piensan en otra cosa. Parece que el corazón les dice el gran amor que le tengo a Calisto y todo lo que con él he pasado. No sé por qué se ocupan ahora más que nunca en este negocio. ¿Quién es el que va a apartarme de mis placeres? Calisto es mi alma, mi vida, mi señor, en quien yo tengo toda mi esperanza. Que no piensen en casamientos: que más vale ser buena amiga, que mala casada. No tengo más pena que el tiempo que perdí antes de conocerlo. No quiero marido.

---

[216] *ser llamado:* aquí, morir.

Mi amor por Calisto es justo. Y desde hace un mes, como has visto, jamás ha faltado una noche. ¡Afuera, afuera el engaño con tan verdadero amor, que ni quiero marido, ni quiero padre ni parientes! Faltándome Calisto, me falta la vida.

Lucrecia.- Calla, señora, escucha, que todavía siguen hablando.

Pleberio.- Pues, ¿qué te parece, señora mujer? ¿Debemos hablarlo a nuestra hija, debemos decirle cuántos son los que la piden, para que diga cuál le gusta? Pues en esto las leyes dan libertad a los hombres y a las mujeres para elegir, aunque estén bajo la autoridad del padre.

Alisa.- ¿Qué dices? ¿En qué gastas el tiempo? ¿Piensas que sabe ella qué cosa son los hombres? ¿Si se casan o qué es casarse? ¿O que de la unión de marido y mujer vienen los hijos? ¿Piensas que su virginidad le trae deseo de lo que no conoce ni jamás ha entendido? No lo creas, señor Pleberio, que ella tendrá por bueno lo que le mandemos tomar. Que yo sé bien lo que tengo en mi hija.

Melibea.- Lucrecia, Lucrecia, corre pronto, entra en la sala y que no sigan hablando, si no quieres que vaya yo dando voces como loca.

Lucrecia.- Ya voy, señora.

Decimoséptimo Acto

Elicia.- Mal me va con este luto[217]. Poco se visita mi casa, poco se pasea por mi calle. Y lo que es peor: nada entra por mi puerta. De todo esto tengo yo la culpa. Debo tomar el consejo de quien bien me quiere, de aquella verdadera hermana, cuando el otro día le llevé las noticias de este triste negocio, para no estar ahora sola entre dos paredes, que ya nadie viene a verme. Quiero en todo seguir el consejo de Areúsa, que sabe más del mundo que yo. Quiero, pues, dejar el luto, dejar la tristeza, despedir las lágrimas. Y debo ir a visitar a mi prima, para preguntarle si ha ido a su casa Sosia, y lo que con él ha pasado, que no lo he visto después de que le dije que Areúsa quería hablarle. Quiera Dios que la encuentre sola, que jamás está sin mozos.

Elicia.- Cerrada está la puerta. No debe de haber ningún hombre. Quiero llamar. Tha, tha. Ábreme, amiga; Elicia soy.

Areúsa.- Entra, hermana mía. Mucho placer me haces viniendo como vienes, sin vestidos de tristeza. Ahora gozaremos juntas, ahora te visitaré, nos veremos en mi casa y en la tuya. Quizá para bien de ambas fue la muerte de Celestina. Por eso se dice que los muertos abren los ojos de los que viven.

Elicia.- A tu puerta llaman. Poco tiempo nos dan para hablar, que te quería preguntar si había venido Sosia.

Areúsa.- No ha venido; después hablaremos. ¡Qué golpes dan! ¿Quién llama?

Sosia.- Ábreme, señora. Sosia soy, criado de Calisto.

[217] *luto:* período de tiempo durante el cual se visten ropas negras en señal de dolor por la muerte de un ser querido.

Areúsa.- (¡Por los santos de Dios! Escóndete, hermana, tras esa puerta, y verás cómo lo preparo. Voy a sacarle todo cuanto queremos.)

Areúsa.- ¿Es mi Sosia, mi secreto amigo? ¿El que yo quiero bien sin que él lo sepa? ¿El que deseo conocer? ¡El fiel a su amo? ¿El buen amigo de sus compañeros? Abrazarte quiero, amor, que ahora que te veo creo que hay en ti más virtudes de lo que todos me decían. Anda, entremos a sentarnos, que me da alegría mirarte. Dime, señor, ¿me conocías antes de ahora?

Sosia.- Señora, la fama de tus gracias y de tu saber vuela tan alto por esta ciudad, que todos te conocen, y ninguno habla de hermosas mujeres sin acordarse de ti antes que de las demás.

Areúsa.- Debes saber, Sosia, que no necesitas hablar tanto bien de mí; sin ello ya te amo. Para lo que te pedí venir a verme son dos cosas. Amor mío, ya sabes cuánto quise a Pármeno. Y todos sus amigos me agradaban. Puesto que es así, quiero decirte primero el amor que te tengo, y cuánto, contigo y con tu visita, siempre me alegrarás. Lo segundo, quiero avisarte que te guardes de peligros y de descubrir tu secreto a ninguno, pues ya ves cuánto daño vino a Pármeno y a Sempronio. Porque no quiero verte morir como a tu compañero. Porque debes saber que vino a mí una persona y me dijo que le habías descubierto los amores de Calisto y Melibea, y cómo vas cada noche a acompañarlo, y otras muchas cosas. Mira, amigo, que no guardar secreto es propio de las mujeres; no de todas, sino de las bajas, y de los niños. Mira que puede venirte gran daño. Que para esto te dio Dios dos oídos y dos ojos, y sólo una lengua, para que veas y oigas más de lo que hablas. Cuando vayas con tu amo Calisto a casa de aquella señora, no hagas ruido, que no te oiga la tierra, que otros me dijeron que ibas cada noche dando voces como loco de placer.

Sosia.- ¡Oh, señora, son personas locas las que esas noticias te traen! Quien te dijo que lo había oído de mi boca, no dice verdad. Los otros afirman lo que imaginan. Y si más clara quieres, señora, ver su mentira, en un mes no hemos ido ocho veces, y dicen los falsos que cada noche.

Areúsa.- Pues, por mi vida, amor mío, para que yo los acuse y coja en el falso testimonio, dime los días que vais a ir, y estaré segura de tu secreto. Porque si no es su mensaje verdad, estará tu persona segura de peligro, y yo tranquila de tu vida. Pues tengo esperanza de gozar contigo largo tiempo.

Sosia.- Señora, para esta noche al dar el reloj las doce, será la visita.

Areúsa.- ¿Por qué parte, alma mía, para que mejor pueda contradecirlos?

Sosia.- Por la calle del cura gordo, a las espaldas de su casa.

Elicia.- (¡Ya te tienen, don tonto! ¡No hace falta más!)

Areúsa.- Hermano Sosia, con lo hablado conozco tu inocencia y la maldad de tus adversarios. Vete con Dios, que estoy ocupada en otro negocio y he estado mucho contigo.

Sosia.- Graciosa y suave señora, perdóname si te he molestado. Y queden los ángeles contigo.

Areúsa.- Dios te guíe.

Areúsa.- Hermana, sal aquí. ¿Qué te parece cómo se va? Y como ya sabemos todo lo que deseábamos, debemos ir a casa de aquel otro que el jueves eché de mi casa delante de ti, y haz tú como que quieres hacernos amigos.

Decimoctavo Acto

Elicia.- ¿Quién está en su casa?

Centurio.- ¿Quién se atreve a entrar sin llamar a la puerta? Ya he visto quién es. No te ocultes con el manto, señora; ya no puedes esconderte, pues, cuando vi entrar a Elicia, vi que no podía venir con mala compañía.

Areúsa.- No entremos, por mi vida, más adentro, que piensa que vengo a pedirle. Volvamos, por Dios, que me muero al verlo. ¿Te parece, hermana, que me traes por buenos sitios, y que es cosa justa venir a ver a ése que ahí está?

Elicia.- Vuelve, por mi amor, no te vayas.

Centurio.- Por Dios, señora, no la sueltes.

Elicia.- Maravillada estoy, prima, de tu buen seso. ¿Qué hombre hay tan loco y fuera de razón que no se alegre de ser visitado por mujeres? Ven aquí, señor Centurio, que voy a hacer que te abrace.

Areúsa.- ¿Y por qué tengo yo que abrazarlo ni ver a ese enemigo? El otro día le pedí una cosa en que me iba la vida, y dijo que no.

Centurio.- Mándame tú, señora, cosa que yo sepa hacer, cosa que sea de mi oficio. Luchar por tu amor con tres juntos o con más. Matar a un hombre, cortar una pierna o un brazo. No me pidas que ande camino, ni que te dé dinero. Ninguno da lo que no tiene.

Elicia.- Sus razones son buenas, como un santo está, como un ángel te habla. ¿Qué más le pides? Por mi vida, que le hables y pierdas el enfado, puesto que te ofrece su persona.

Centurio.- ¿Ofrecer dices, señora? Yo te juro por los santos de pe a pa[218] que siempre estoy pensando en cómo tenerla contenta, y jamás acierto. La noche pasada, soñaba que hacía armas, luchando por su servicio, con cuatro hombres que ella bien conoce, y maté a uno. Y de los otros, el que mejor se libró me dejó a los pies un brazo izquierdo. Pues mucho mejor lo haré despierto.

Areúsa.- Pues aquí te tengo, a tiempo estamos. Yo te perdono a condición de que me vengues de un caballero que se llama Calisto, que nos ha molestado a mí y a mi prima. Esta noche lo harás.

Centurio.- No me digas más. Todo el negocio de sus amores sé, y los que por él han muerto, y lo que os tocaba a vosotras; por dónde va, y a qué hora y con quién. Pero dime, ¿cuántos son los que lo acompañan?

Areúsa.- Dos mozos.

Centurio.- Pequeña cosa es ésa, poco hay ahí para mi espada. Mejor iré con ella a otra parte esta noche, que ya me lo habían pedido.

Areúsa.- Excusas. A otro perro con ese hueso[219]. Aquí quiero ver si decir y hacer es lo mismo para ti.

Centurio.- No tiene tiempo mi espada para decir lo que hace. Veinte años hace que me da de comer. Por ella me temen los hombres y me quieren las mujeres, menos tú.

Areúsa.- No hablemos de cosas viejas. Dime pronto si vas a hacer lo que te digo, porque nos queremos ir.

Centurio.- Más deseo ya la noche por tenerte contenta, que tú por verte vengada. Escoge tú misma qué muerte quieres que le dé.

Areúsa.- Alguna que no sea de mucho ruido.

Areúsa.- (Hermana, que lo mate como quiera. Y llore Melibea como tú has hecho. Dejémoslo...) Centurio, haz bien lo que te hemos pedido.

Centurio.- Muy alegre quedo, señora mía, que se ha presentado un caso, aunque pequeño, para que conozcas lo que yo sé hacer por tu amor.

Areúsa.- Pues Dios te dé buena mano. Nos vamos.

Centurio.- Él te guíe y te dé más paciencia con los tuyos.

Centurio.- ¡Allá van estas putas cargadas de razones! Ahora quiero pensar cómo haré para no hacer lo prometido, de manera que piensen que quise hacer lo dicho. Voy a llamar a Traso y a sus dos compañeros, y a decirles que, porque yo estoy ocupado esta noche en otro negocio, vayan ellos a hacer huir a un par de mozos, y se vuelvan luego a dormir.

Decimonoveno Acto

Sosia.- Muy despacio, para que no seamos oídos, desde aquí al huerto de Pleberio te contaré, hermano Tristán, lo que con Areúsa me ha pasado hoy, que soy el hombre más alegre del mundo. Sabrás que ella, por lo bueno que de mí había oído, le dijo a Elicia que quería verme, que ella pensaba gozar de mi amor durante mucho tiempo.

Tristán.- Sosia amigo, otro seso más maduro y con más experiencia que el mío era necesario para darte consejo en este negocio. Pero te diré lo que llego a pensar. Esta mujer es puta, según tú me dijiste; lo que te pasó con ella tienes que creer que fue falso, y no sé yo con qué fin. Mira, Sosia, y acuérdate bien si te quería sacar algo del secreto de este camino que ahora vamos.

Sosia.- ¡Oh, Tristán, discreto mozo! Me has dicho más de lo que tu edad promete. Pero ya llegamos al huerto, y nuestro amo se acerca; dejemos este cuento, que es muy largo, para otro día.

Calisto.- Poned, mozos, la escala; y callad.

Calisto.- ¡Oh, mi señora y mi bien todo! ¿Qué mujer podía haber mejor que tú? ¡Oh, corazón mío!

Melibea.- ¡Oh, dulce sorpresa! ¿Es mi señor de mi alma? ¿Es él? ¿Dónde estabas, sol mío? ¿Dónde estabas? Todo este huerto se alegra con tu venida. Mira la luna qué clara se nos muestra, mira las nubes cómo huyen, oye el agua fresca de esta fuente. Mira las quietas sombras, qué oscuras están, preparadas para cubrirnos.

Calisto.- Señora y gloria mía, mi vida tienes.

Melibea.- Pero tú, señor, ¿cómo no mandas a tus manos que estén quietas? ¿Por qué no olvidas estas artes? Mira, ángel mío, que tus palabras me dan placer, y tus manos me fatigan cuando pasan de la razón. Deja mis ropas en su lugar, y si quieres ver si son de seda[220] o de paño[221], ¿para qué me tocas la camisa? ¿Qué te trae de bueno dañar mis vestidos?

Calisto.- Señora, el que quiere comer el ave le quita primero las plumas.

Lucrecia.- (¿Qué vida es ésta? ¡Que me esté yo muriendo de ganas, y ella negándose! Ya, ya no hacen ruido.)

Melibea.- ¿Señor mío, quieres que mande a Lucrecia que traiga algo de comer?

Calisto.- Lo único para mí es tener tu cuerpo y tu belleza en mi poder.

Lucrecia.- (Ya me duele a mí la cabeza de escuchar, y no a ellos de hablar, ni las manos de tocar, ni las bocas de besar. Ya callan de nuevo.)

Calisto.- Jamás quiero, señora, que nazca el día, por la gloria y el descanso que recibo de ti.

Melibea.- Señor, yo soy la que gozo, yo la que gano.

Sosia.- ¿Venís a sorprender a los que no os temen? Pues yo juro que, si esperáis, os daré lo que merecéis.

Calisto.- Señora, Sosia es el que da voces. Déjame ir a ayudar, que no lo maten. Dame pronto mi capa, que está debajo de ti.

Melibea.- ¡Oh, triste suerte! No vayas sin tus armas.

Sosia.- ¿De nuevo volvéis? Esperadme.

Calisto.- Déjame, por Dios, señora, que puesta está la escala.

Melibea.- ¡Oh, desgraciada de mí! ¿Y cómo vas con tanta prisa a meterte entre quien no conoces? Lucrecia, ven pronto, que Calisto se ha ido a ver qué es un ruido.

Tristán.- Para, señor, no bajes, que se han ido; que no eran sino Traso y otros dos, que pasaban dando voces. Ya vuelve Sosia. Agárrate, señor, agárrate con las manos a la escala.

Calisto.- ¡Oh, válgame Santa María[222]! ¡Muerto soy! ¡Confesión!

Tristán.- Ven pronto, Sosia, que el triste de nuestro amo se ha caído de la escala, y no habla ni se mueve.

Sosia.- ¡Señor, señor! ¡Tan muerto está como mi abuelo! ¡Oh, gran desgracia!

Lucrecia.- ¡Escucha, escucha! ¡Gran mal es éste!

Melibea.- ¿Qué es esto que oigo, amarga de mí?

Tristán.- ¡Oh, mi señor y mi bien, muerto! ¡Oh, mi señor y nuestro buen nombre, caídos! ¡Oh, triste muerte! Coge, Sosia, esos sesos de esas piedras, júntalos con la cabeza del pobre amo nuestro. ¡Oh, terrible fin!

Melibea.- ¡Oh, desgraciada de mí! ¿Qué es esto? ¿Qué puede ser tan cruel acontecimiento como oigo? Ayúdame a subir, Lucrecia, por estas paredes, veré mi dolor; si no, echaré abajo a gritos la casa de mi padre. ¡Mi bien y placer, todo se ha ido! ¡Mi alegría, perdida! ¡Se fue mi gloria!

[222] *¡válgame Santa María!:* exclamación de socorro, para pedir ayuda.

Lucrecia.- Tristán, ¿qué dices, mi amor? ¿Qué es eso que tanto lloras sin medida?

Tristán.- ¡Lloro mi gran mal, lloro mis muchos dolores! Mi señor Calisto ha caído de la escala y ha muerto. Su cabeza está en tres partes. Díselo a la triste y nueva amiga, que no espere más a su amor. Cógelo tú, Sosia, de los pies. Llevemos el cuerpo de nuestro querido amo donde no sufra su buen nombre, aunque ha muerto en este lugar.

Melibea.- ¡Oh, la más triste de las tristes! ¡Tan tarde alcanzado el placer, tan pronto venido el dolor!

Lucrecia.- Señora, ¡qué poco corazón es éste! Levanta, por Dios, que no te encuentre tu padre en este lugar, que van a oírte. Señora, señora, ¿no me oyes? Ten fuerza para sufrir la pena, ya que tuviste fuerza para el placer.

Melibea.- ¿Oyes lo que aquellos mozos van hablando? ¿Oyes sus tristes cantares? ¡Rezando se llevan mi bien todo! ¡Muerta llevan mi alegría! ¡No es tiempo de vivir yo!

Lucrecia.- Rápido, rápido, que peor será encontrarte en el huerto. Entremos en la habitación, tienes que acostarte. Llamaré a tu padre y diremos que es otro mal.

Vigésimo Acto

Pleberio.- ¿Qué quieres, Lucrecia? ¿Qué quieres con tanta prisa? ¿Qué pides a estas horas y con tan poca tranquilidad? ¿Qué es lo que mi hija ha sentido? ¿Qué mal tan grande puede ser, que no me dejas tiempo para vestirme, ni me dejas antes levantarme?

Lucrecia.- Señor, date prisa si la quieres ver viva, que ni sé cuál es su mal, ni a ella la conozco ya.

Pleberio.- Vamos pronto. ¿Qué es esto, hija mía? ¿Qué dolor es el tuyo? ¿Qué pocas fuerzas son éstas? Mírame, que soy tu padre. Habla conmigo, cuéntame la causa de tu pena. ¿Qué tienes? ¿Qué sientes? ¿Qué quieres? Mírame, dime la razón de tu dolor. No quieras mandarme con triste pena al sepulcro²²³. Ya sabes que eres tú mi único bien. Abre esos alegres ojos y mírame.

Melibea.- ¡Ay, dolor!

Pleberio.- ¿Qué dolor puede ser? Tu madre está tan sin seso oyendo tu mal, que ni ha podido venir a verte. Dime, alma mía, la causa de tu sentimiento.

Melibea.- ¡Murió mi remedio!

Pleberio.- Hija, mi bien amada y querida del viejo padre, que el cruel dolor de tu enfermedad y de tu pasión no te ponga desesperación. Si tú me cuentas tu mal, luego será remediado. Que ni faltarán medicinas, ni médicos, ni sirvientes para buscar tu salud con hierbas, piedras, palabras o cuerpos de animales. Pues no me fatigues más, no me hagas salir de mi seso, y dime qué sientes.

Melibea.- Una mortal llaga en medio del corazón, que no me deja hablar. No es igual a los otros males; hay que

²²³ *sepulcro:* lugar en el que una persona es enterrada, después de muerta.

sacar el corazón para quedar curada, porque está en lo más secreto de él.

[224] *mocedad:* juventud.

Pleberio.- Temprano te han llegado los sentimientos de la vejez. En la mocedad[224], todo suele ser placer y alegría. Levántate de ahí. Vamos a ver los frescos aires del río; te alegrarás con tu madre, ella descansará tu pena.

Melibea.- Vamos donde mandes. Subamos, señor, a la azotea alta, para que desde allí goce de la vista de los barcos; quizás así sea menos grande mi pena. Pero manda traer, padre mío, algún instrumento de cuerdas para sufrir mi dolor tocando o cantando.

Pleberio.- Eso, hija mía, ya está hecho. Voy a mandar traerlo.

Melibea.- Lucrecia, amiga mía, muy alto es esto. Ya siento haber dejado la compañía de mi padre. Baja y dile que se ponga al pie de esta torre, que voy a decirle una palabra que se me olvidó y que quiero que le diga a mi madre.

Lucrecia.- Ya voy, señora.

Melibea.- Todos me han dejado. Bien se ha preparado la manera de morir. Alguna paz siento en ver que tan pronto estaremos juntos yo y mi querido y amado Calisto. Quiero cerrar la puerta, para que ninguno suba a no dejarme morir. No me impidan la partida, no me corten el camino por el cual, en breve tiempo, podré visitar en este día al que me visitó la pasada noche. Todo se ha hecho según mi voluntad. Buen tiempo tendré para contar a Pleberio, mi señor, la causa de mi fin. Gran dolor hago a sus canas, gran ofensa a su vejez, gran fatiga le traigo con mi falta, en gran soledad lo dejo. Tú, Señor, que eres testigo de lo que hablo, ves mi poco poder, ves qué esclava tengo mi libertad, qué esclavos mis sentidos, que más siguen al poderoso amor del caballero muerto, que al amor que les tengo a los padres vivos.

𝔓𝔩𝔢𝔟𝔢𝔯𝔦𝔬.- Hija mía, Melibea, ¿qué haces sola? ¿Qué quieres decirme? ¿Quieres que suba allá?

𝔐𝔢𝔩𝔦𝔟𝔢𝔞.- Padre mío, no trabajes por venir adonde yo estoy, que molestarás lo que quiero hablarte. Apenado serás brevemente con la muerte de tu única hija. Mi fin ha llegado, han llegado mi paz y tu pena y tu tiempo de soledad. No necesitarás, amado padre, instrumentos de música para calmar mi dolor, sino campanas para enterrar mi cuerpo. Si me escuchas sin lágrimas, oirás la causa desesperada de mi obligada y alegre partida. No la interrumpas con lloro ni con palabras; si no, quedarás más triste al no saber por qué me mato, que por verme muerta. No me preguntes más de lo que quiero decirte, ni respondas ninguna cosa. Oye, padre mío, mis últimas palabras, y si como yo espero las recibes, no me harás culpable. Bien ves y oyes este triste y doloroso sentimiento que toda la ciudad hace. Bien ves este sonido de campanas, estos gritos de gentes, este gran ruido de armas. De todo esto he sido yo la causa. Yo he cubierto de luto en este día casi la mayor parte de la ciudad, yo he dejado hoy sin señor a muchos sirvientes, yo he sido ocasión de que los muertos tengan la compañía del mejor hombre que nunca nació y que yo les he quitado a los vivos; yo he sido la causa de que la tierra goce sin tiempo con el más noble cuerpo y la más fresca juventud que en el mundo había. Y como estarás asombrado con el sonido de mis delitos que tú no conocías, quiero aclararte más el hecho. Muchos días pasó, padre mío, penando por mi amor un caballero que se llamaba Calisto, al que tú bien conociste. Era tanta

V. O. nº 12 en págs. 115-116

su pena de amor y tan poco el lugar para hablarme, que encontró la manera de ganar mi querer. Yo, vencida por su mucho amor, le di entrada en tu casa. Saltó con escalas las paredes de tu huerto, ganó mi voluntad. Perdí mi virginidad, juntos gozamos casi un mes. Y esta pasada noche vino, según era su costumbre; como las paredes son altas y la noche era oscura, y él bajaba rápido a ver qué era un ruido que sonaba en la calle, con la gran fuerza que llevaba, no vio bien los pasos, puso el pie en el aire y cayó. De la triste caída, sus más escondidos sesos quedaron repartidos por las piedras y paredes. Le cortaron sin confesión la vida, cortaron mi esperanza, cortaron mi gloria, cortaron mi compañía. Pues ¡qué crueldad será, padre mío, después de muerto él en la caída, que viva yo apenada! Su muerte llama a la mía, la llama y la obliga a que sea pronto y sin tardar, y debe ser de una caída, para seguirlo en todo. ¡Oh, mi amor y señor Calisto! Espérame, ya voy; déjame que dé esta última cuenta a mi viejo padre, pues le debo mucho más. ¡Oh, padre mío muy amado! Te pido, si amor en esta pasada y triste vida me has tenido, que estén juntas nuestras sepulturas. Saluda a mi querida y amada madre, que de ti sepa largamente la triste razón por la que muero. ¡Gran placer llevo de no verla presente! Dios quede contigo y con ella. A Él ofrezco mi alma. Recibe tú este cuerpo que allá baja.

𝕍igésimoprimer 𝔸cto

Alisa.- ¿Qué es esto, señor Pleberio? ¿Por qué son tus fuertes gritos? Sin seso estaba, medio dormida, cuando oí decir que sentía dolor nuestra hija; ahora, oyendo tus llantos, tus voces tan altas, tus quejas no acostumbradas, de tal manera han entrado en mí, de tal manera han llegado a mi corazón, que un dolor sacó otro. Dime la causa de tus quejas. ¿Por qué lloras tu buena vejez? ¿Por qué pides la muerte? ¿Por qué arrancas tus blancos cabellos? ¿Es algún mal de Melibea? Por Dios, dímelo, porque si ella está apenada, no quiero yo vivir.

Pleberio.- ¡Ay, ay, noble mujer! ¡Nuestro gozo acabó! ¡Nuestro bien todo se ha perdido! ¡No queramos más vivir! Y para que el inesperado dolor te dé más pena, todo junto y sin pensarlo, para que más pronto vayas al sepulcro, para que no llore yo solo la pérdida dolorida de ambos, ahí ves a la que tú pariste y yo engendré, hecha pedazos. La causa supe por ella misma; y más la he sabido por ésta su triste sirvienta. Ayúdame a llorar. ¡Oh, mi hija y mi bien todo! Crueldad es que viva yo y no tú; más dignos de la sepultura eran mis sesenta años que tus veinte. Los días me sobran[225] para vivir. Que me falte la vida, puesto que me falta tu agradable compañía. ¡Oh, mujer mía! Levántate y, si alguna vida te queda, gástala conmigo en tristes llantos y en suspirar. En esto tenéis ventaja las hembras sobre los varones, que puede un gran dolor sacaros del mundo, o por lo menos perdéis el sentido, que es parte del descanso. ¡Oh, duro corazón de padre! ¿Cómo no te rompes de dolor? ¿Para quién edifiqué torres? ¿Para quién adquirí buen nombre? ¿Para quién planté árboles? ¡Oh, tierra dura! ¿Dónde encontrará abrigo mi apenada vejez? ¡Oh, vida llena de tristezas, de miserias acompañada! Ya desconsolado y viejo,

[225] *sobrar:* tener más de lo que se necesita.

[226] *red:* especie de tela que se echa al agua para pescar.
[227] *sin orden ni concierto:* sin lógica, sin causa ni razón.
[228] *despedazada:* hecha pedazos.
[229] *in hac lachrimarum valle:* en este valle de lágrimas; es decir, en la tierra.

¡qué solo estoy! Porque mi Melibea se mató a sí misma por su propia voluntad, ante mis ojos, por la gran fatiga de amor que tenía. ¡Oh, pobre viejo! Que cuanto más busco consuelo, menos razón encuentro para consolarme. ¿Qué haré cuando entre en su habitación y la encuentre sola? ¿Qué haré cuando te llame y no me respondas? ¿Quién podrá cubrirme la gran falta que tú me haces? Nadie perdió lo que yo he perdido el día de hoy. ¿Quién forzó a mi hija a morir, sino la fuerte fuerza del amor? ¡Oh, mundo! ¿Qué consuelo das a mi fatigada vejez? ¿Cómo me mandas quedar en ti conociendo tus mentiras, tus cadenas y redes[226], con que pescas nuestras pobres voluntades? ¡Oh, amor, amor! ¡No pensé que tenías la fuerza de matar a los que aman! ¿Quién te dio tanto poder? Si amor eres, ama a tus esclavos y no les des pena, para que no se maten, como ahora mi amada hija. Muchas muertes causas. Dulce nombre te dieron; amargos hechos haces, que matas a los que te siguen. ¿Por qué vas sin orden ni concierto[227]? ¡Oh, mi compañera buena! ¡Oh, mi hija despedazada[228]! ¿Por qué no pude impedir tu muerte? ¿Por qué no tuviste pena de tu querida y amada madre? ¿Por qué has sido tan cruel con tu viejo padre? ¿Por qué me dejaste apenado? ¿Por qué me dejaste triste y solo *in hac lachrimarum valle*[229]?

V. O. nº 1, de págs. 8-9

Calisto.- ¡Sempronio, Sempronio, Sempronio! ¿Dónde está este maldicto?

Sempronio.- Aquí stoy, señor, curando destos cavallos.

Calisto.- Pues, ¿cómo sales de la sala?

Sempronio.- Abatióse el girifalte y vínele a endereçar en el alcándara.

Calisto.- ¡Ansí los diablos te ganen!, ansí por infortunio arrebatado perezcas, o perpetuo intolerable tormento consigas, el qual en grado incomparablemente a la penosa y desastrada muerte que spero traspassa. ¡Anda, anda, malvado!, abre la cámara y endereça la cama.

Sempronio.- Señor, luego hecho es.

Calisto.- Cierra la ventana y dexa la tiniebla acompañar al triste y al desdichado la ceguedad. Mis pensamientos tristes no son dignos de luz. ¡O bienaventurada muerte aquella que deseada a los afligidos viene! ¡O si viniéssedes agora, *Crato y Galieno*, médicos, sentiríades mi mal! ¡O piadad celestial, inspira en el plebérico coraçón, por que sin esperança de salud no embíe el spiritu perdido con el desastrado Piramo y de la desdichada Tisbe!

Sempronio.- ¿Qué cosa es?

Calisto.- ¡Vete de ay! No me hables, si no quiçá, ante del tiempo de mi raviosa muerte, mis manos causarán tu arrebatado fin.

Sempronio.- Yré, pues solo quieres padecer tu mal.

Calisto.- ¡Ve con el diablo!

Sempronio.- No creo según pienso, yr conmigo el que contigo queda. (¡O desventura, o súbito mal! ¿Quál fue tan contrario acontecimiento que ansí tan presto robó el alegría deste hombre, y lo que peor es, junto con ella el seso? ¿Dexarle he solo, o entraré allá? Si le dexo matarse ha; si entra, matarme ha. Quédese, no me curo. Más vale que muera aquél a quien es enojosa la vida, que no yo, que huelgo con ella. Aunque por ál no desseasse bivir sino por ver [a] mi Elicia, me devería guardar de peligros. Pero si se mata sin otro testigo, yo quedo obligado a dar cuenta de su vida. Quiero entrar. Mas puesto que entre, no quiere consolación ni consejo. Assaz es señal mortal no querer sanar. Con todo quiérole dexar un poco desbrave, madure, que oýdo he dezir que es peligro abrir o apremiar las posternas duras, porque más se enconan. Esté un poco, dexemos llorar al que dolor tiene, que las lágrimas y sospiros mucho desenconan el coraçón dolorido. Y aun si delante me tiene, más conmigo se encenderá, que el sol más arde donde puede reverberar. La vista a quien objecto no se antepone cansa, y quando aquél es cerca, agúzase. Por esso quiérome soffrir un poco, si entretanto se matare, muera. Quiçá con algo me quedaré que otro no [lo] sabe, con que mude el pelo malo. Aunque malo es esperar salud en muerte ajena. Y quiçá me engaña el diablo, y si muere, matarme han, y yrán allá la soga y el calderón. Por otra parte, dizen los sabios que es grande descanso a los afligidos tener con quien puedan sus cuytas llorar, y que la llaga interior más empece. Pues en estos extremos en que stoy perplexo, lo más sano es entrar y sofrirle y consolarle [...]).

Celestina.- Conjúrote, triste Plutón, [...]. Yo, Celestina, tu más conocida cliéntula, te conjuro por la virtud y fuerça destas bermejas letras, por la sangre de aquella noturna ave con que están scritas, por la gravedad de aquestos nombres y signos que en este papel se contienen, por la áspera ponçoña de las bívoras de que este azeyte fue hecho, con el qual unto este hilado; vengas sin tardança a obedeçer mi voluntad y en ello te embolvas, y con ello estés sin un momento te partir, hasta que Melibea con aparejada oportunidad que haya lo compre, y con ello de tal manera quede enredada que quanto más lo mirare, tanto más su coraçón se ablande a conceder mi petición. Y se le abras y lastimes del crudo y fuerte amor de Calisto, [...], y otra vez te conjuro [y], así confiando en mi mucho poder, me parto para allá con mi hilado, donde creo te llevo ya embuelto.

***

Melibea.- [...]. Dime, madre, ¿eres tú Celestina, la que solía morar a las tenerías, cabe el río?

Celestina.- [Señora], hasta que Dios quiera.

Melibea.- [...], indivan embalde. Assí goze de mí, no te conociera sino por esta señaleja de la cara. Figúraseme que eras hermosa; otra pareces; muy mudada estás. [...].

Celestina.- [...]. Pues si tú me das licencia, diréte la necessitada causa de mi venida, que es otra que la que hasta agora as oýdo, y tal que todos perderíamos en me tornar en balde sin que la sepas.

Melibea.- Di, madre, todas tus necessidades, que si yo las pudiere remediar, de muy buen grado lo haré por el passado conoscimiento y vezindad, que pone obligación a los buenos.

Celestina.- ¿Mías, señora? Antes ajenas, como tengo dicho. [...]. Que con mi pobreza jamás me faltó, a Dios gracias, una blanca para pan y un quarto para vino, [...].

Melibea.- Pide lo que querrás, sea para quien fuere.

Celestina.- Donzella graciosa [...]. Yo dexo un enfermo a la muerte, que con sola una palabra de tu noble boca salida, que [le] lleve metida en mi seno, tiene por fe que sanará, según la mucha devoción tiene en tu gentileza.

Melibea.- Vieja honrrada, no te entiendo, si más no declaras tu demanda. [...]. Que yo soy dichosa, si de mi palabra ay necessidad para salud de algún christiano. [...], assí que no cesses tu petición por empacho ni temor.

Melibea.- ¡Jesú, no oyga yo mentar más esse loco [...]. Pues avísale que se aparte deste propósito y serle ha sano. [...], y tú tórnate con su mesma razón, que respuesta de mí otra no avrás, ni la esperes, [...]. Y da gracias a Dios, pues tan libre vas desta feria. Bien me avían dicho quién tú eras y avisado de tus propiedades, aunque agora no te conoscía.

Celestina.- (Más fuerte estava Troya, y aun otras más bravas he yo amansado; ninguna tempestad mucho dura).

Melibea.- ¿Qué dizes, enemiga? Habla que te pueda oýr. ¿Tienes desculpa alguna para satisfazer mi enojo y escusar tu yerro y osadía?

Celestina.- [...], que la sangre nueva poco calor ha menester para hervir.

Melibea.- ¿Poco calor? Poco lo puedes llamar, pues quedaste tú biva y yo quexosa sobre tan gran atrevimiento. ¿Qué palabra podías tú querer para esse tal hombre que a mí bien me estuviesse? Responde, pues dizes que no as concluýdo, y quiçá pagarás lo passado.

Celestina.- Una oración, señora, que le dixeron que sabías de Santa Polonia para el dolor de las muelas. Assimesmo tu cordón, que es fama que ha tocados [todas] las reliquias que ay en Roma y Hierusalem. Aquel cavallero que dixe, pena y muere dellas; ésta fue mi venida, [...].

Melibea.- Si csso querías, ¿por qué luego no me lo espresaste? ¿Por qué me lo dixiste por tales palabras?

Celestina.- Señora, porque mi linpio motivo me hizo creer que aunque en otras qualesquier lo propusiera, no se avía de sospechar mal; [...], por Dios, que no me culpes. Y si él otro yerro ha hecho, no redunde en mi daño, pues no tengo otra culpa sino ser mensajera del culpado; [...]. Que no es otro mi officio sino servir a los semejantes. Desto vivo, y desto me arreo. Nunca fue mi voluntad enojar a unos por agradar a otros, aunque ayan dicho a tu merced en mi absencia otra cosa. [...].

Melibea.- [...]. Por cierto, tantos y tales loores me han dicho de tus falsas mañas que no sé si crea que pedías oración. [...]. Tanto affirmas tu ignorancia que me hazes creer lo que puede ser. Quiero, pues, en tu dubdosa desculpa tener la sentencia en peso, y no disponer de tu demanda al savor de la ligera interpretación. No tengas en mucho ni te maravilles de mi passado sentimiento, porque concurrieron dos cosas en tu habla, que qualquiera dellas era bastante para me sacar de seso: nombrarme esse tu cavallero, que conmigo se atrevió a hablar, y también pedirme palabra sin más causa que no se podía sospechar sino daño para mi honrra. Pero pues todo viene de buena parte, de lo passado aya perdón; que en alguna manera es aliviado mi coraçón, viendo que es obra pía y santa sanar los apassionados y enfermos.

Celestina.- Y tal enfermo, señora. Por Dios, si bien le conociesses, no le juzgasses por el que as dicho y mostrado con tu yra. [...]. Agora, señora, tiénele derribado una sola muela que jamás cessa [de] quexar.

Melibea.- ¿Y qué tanto tiempo ha? [...].

Celestina.- Señora, ocho días, que pareçe que ha un año en su flaqueza.

Melibea.- ¡O quánto me pesa con la falta de mi paciencia!, porque siendo él ignorante y tú innocente, havés padescido las alteraciones de mi ayrada lengua. [...]. En pago de tu buen sufrimiento quiero complir tu demanda y darte luego mi cordón. Y porque para screvir la oración no avrá tiempo sin que venga mi madre, si esto no bastare, ven mañana por ella muy secretamente.

***

V. O. nº 5, de pág. 54

Celestina.- [...]. Dezime ¿cómo quedó Calisto? ¿Cómo le dexastes? ¿Cómo os podistes entramos descabullir dél?

Pármeno.- Allá fue a la maldición, echando huego, desesperado, perdido, medio loco, a missa a la Madalena a rogar a Dios que te dé gracia, que puedas bien roer los huessos destos pollos, y protestando de no bolver a casa hasta oýr que eres venida con Melibea en tu arremango. Tu saya y manto y aun mi sayo cierto stá; lo otro vaya y venga; él quándo lo dará no lo sé.

Celestina.- [...]. Todo aquello alegra que con poco trabajo se gana, [...]. Mucha fuerça tiene el amor; [...]. Ygual mando tiene en todo género de hombres; [...]. Assí que si vosotros buenos enamorados avés sido, juzgarés yo dezir verdad.

***

V. O. nº 6, de pág. 55

Celestina.- Hija Lucrecia, dexadas essas razones, querría que me dixiesses qué fue agora tu buena venida.

Lucrecia.- [...]; pedirte el ceñidero y demás desto, te ruega mi señora sea de ti visitada y muy presto, porque se siente muy fatigada de desmayos y de dolor del coraçón. [...].

Celestina.- Vamos, que yo le llevo.

***

V. O. nº 7, de pág. 56

Melibea.- ¡O lastimada de mí, o mal proveída donzella! ¿Y no me fuera mejor conceder su petición y demanda ayer a Celestina quando de parte de aquel señor cuya vista me cativó me fue rogado, [...]. ¡O mi fiel criada Lucrecia! ¿qué dirás de mí; qué pensarás de mi seso quando me veas publicar lo que a ti jamás he querido descobrir? [...]. No sé si avrás barruntado de dónde proceda mi dolor, o si ya viniesses con aquella medianera de mi salud. O soberano Dios, a ti [...] humildemente suplico: des a mi herido coraçón sofrimiento y paciencia, con que mi terrible passión pueda dissimular [...]. Pero ¿cómo lo podré hazer, [...]? ¡O género femíneo, encogido y frágile! ¿por qué no fue también a las hembras concedido poder descobrir su congoxoso y ardiente amor, como a los varones? [...].

***

V. O. nº 8, de pág. 68

Melibea.- Cessen, señor mío, tus verdaderas querellas, [...]. Tú lloras de tristeza juzgándome cruel; yo lloro de plazer viéndote tan fiel. ¡O mi señor y mi bien todo, quánto más alegre me fuera poder veer tu haz que oýr tu boz! Pero pues no se puede al presente más hazer, toma la firma y sello de las razones que te embié scritas en la lengua de aquella solícita mensajera. Todo lo que te dixo confirmo; todo he por bueno; limpia, señor, tus ojos; ordena de mí a tu voluntad.

Calisto.- ¡O señora mía, esperança de mi gloria, descanso y alivio de mi pena; alegría de mi coraçón! ¿Qué lengua será bastante para te dar yguales gracias a la sobrada y incomparable merced que en este punto, de tanta congoxa para mí, me as quesido hazer en querer que un tan flaco y indigno hombre pueda gozar de tu suavíssimo amor? [...]. ¡O quántos días antes de agora passados me fue venido esse pensamiento a mi corçón, y por impossible le rechaçava de mi memoria, hasta que [...], agora me veo, oyendo de grado tu suave boz, [...], me estoy remirando si soy yo Calisto a quien tanto bien se [le] haze.

***

V. O. nº 9, de págs. 75-76

Sempronio.- O vieja avarienta, [garganta] muerta de sed por dinero, ¿no serás contenta con la tercera parte de lo ganado?

Celestina.- ¿Qué tercia parte? Vete con Dios de mi casa tú, y essotro no dé bozes; no allegue la vezindad. No me hagáys salir de seso; no queráys que salgan a plaça las cosas de Calisto y vuestras.

Sempronio.- Da bozes, o gritos, que tú complirás lo que prometiste o complirás hoy tus días.

Elicia.- Mete, por Dios, el spada. Tenle, Pármeno, tenle; no la mate esse desvariado.

Celestina.- ¡Justicia, justicia, señores vezinos, justicia, que me matan en mi casa estos rufianes!

Sempronio.- ¿Rufianes o qué? Espera, doña hechizera, que yo te haré yr al infierno con cartas.

Celestina.- ¡Ay, que me ha muerto, ay, ay, confessión, confessión!

Pármeno.- ¡Dale, dale, acábala, pues començaste; que nos sentirán; muera, muera, de los enemigos los menos!

Celestina.- ¡Confessión!

Elicia.- O crueles enemigos, en mal poder os veáys, ¿y para quién tovistes manos? Muerta es mi madre y mi bien todo.

Sempronio.- Huye, huye, Pármeno, que carga mucha gente. ¡Guarte, guarte, que viene el alguazil!

Pármeno.- ¡O pecador de mí, que no ay por do nos vamos, que está tomada la puerta!

Sempronio.- Saltemos destas ventanas; no muramos en poder de justicia.

Pármeno.- Salta, que yo tras ti voy.

***

V. O. nº 10, de págs. 81-82

Melibea.- Es tu sierva, es tu cativa, es la que más tu vida que la suya estima. O mi señor, no saltes de tan alto, que me moriré en verlo; baxa, baxa poco a poco por el scala; no vengas con tanta pressura.

Calisto.- O angélica ymagen, o preciosa perla, ante quien el mundo es feo. O mi señora y mi gloria, en mis braços te tengo y no lo creo. Mora en mi persona tanta turbación de plazer que me haze no sentir todo el gozo que posseo.

Melibea.- Señor mío, pues me fié en tus manos, pues quise complir tu voluntad, no sea de peor condición, por ser piadosa, que si fuera esquiva y sin misericordia; no quieras perderme por tan breve deleyte y en tan poco spacio. Que las malhechas cosas, después de cometidas, más presto se pueden reprehender que emendar. Goza de lo que yo gozo, que es ver y llegar a tu persona; no pidas ni tomes aquello que, tomado, no será en tu mano bolver. Guarte, señor, de dañar lo que con todos tesoros del mundo no se restaura.

Calisto.- Señora, pues por conseguir esta merced toda mi vida he gastado, ¿qué sería, quando me la diessen, desechalla? Ni tú, señora, me lo mandaras, ni yo podría acabarlo conmigo. No me pides tal covardía; no es hazer tal cosa de ninguno que hombre sea, mayormente amando como yo, nadando por este huego de tu desseo toda mi vida. ¿No quieres que me arrime al dulce puerto a descansar de mis passados trabajos?

Melibea.- Por mi vida, que aunque hable tu lengua quanto quisiere, no obren las manos quanto pueden. Está quedo, señor mío. Bástete, pues ya soy tuya, gozar de lo esterior, desto que es propio fruto de amadores; no me quieras robar el mayor don que la natura me ha dado; cata que del buen pastor es propio tresquilar sus ovejas y ganado, pero no destruyrlo y estragallo.

Calisto.- ¿Para qué señora? ¿Para que no esté queda mi passión; para penar de nuevo; para tornar el juego de comienço? Perdona, señora, a mis desvergonçadas manos, que jamás pensaron de tocar tu ropa, con su indignidad y poco mereçer; agora gozan de llegar a tu gentil cuerpo y lindas y delicadas carnes.

Melibea.- Apártate allá, Lucrecia.

Calisto.- ¿Por qué, mi señora? Bien me huelgo que estén semejantes testigos de mi gloria.

Melibea.- Yo no los quiero de mi yerro. Si pensara que tan desmesuradamente te havías de haver conmigo, no fiaría mi persona de tu cruel conversación.

***

V. O. nº 11, de págs. 98-99

Calisto.- Señora, Sosia es aquel que da bozes; déxame yr a valerle, no le maten; que no está sino un pajezico con él. Dame presto mi capa que está debaxo de ti.

Melibea.- O triste de mi ventura, no vayas allá sin tus coraças; tórnate a armar.

Calisto.- Señora, lo que no haze spada y capa y coraçón, no lo hacen coraças y capaçete y covardía.

Sosia.- ¿Aún tornáys? Esperadme; quiçá venís por lana.

Calisto.- Déxame, por Dios, señora, que puesta está el escala.

Melibea.- O desdichada yo, y cómo vas tan rezio y con tanta priessa y desarmado a meterte entre quien no conosces. Lucrecia, ven presto acá, que es ydo Calisto a un ruydo; echémosle sus coraças por la pared, que se quedan acá.

Tristán.- Tente, señor, no baxes, que ydos son; que no era sino Traso el coxo y otros vellacos que passavan bozeando, que ya se torna Sosia. Tente, tente, señor, con las manos al scala.

Calisto.- ¡O válame Santa María, muerto soy! ¡Confessión!

Tristán.- Llégate presto, Sosia, que el triste de nuestro amo es caýdo del scala y no habla ni se bulle.

Sosia.- ¡Señor, señor, a essotra puerta! Tan muerto es como mi abuelo. ¡O gran desaventura!

***

V. O. nº 12, de pág. 103

Melibea.- Padre mío, no pugnes ni trabajes por venir donde yo estó, que estorvarás la presente habla que te quiero hazer. Lastimado serás brevemente con la muerte de tu única hija. Mi fin es llegado; llegado es mi descanso y tu passión; llegado es mi alivio y tu pena; llegada es mi acompañada hora y tu tiempo de soledad. No havrás, honrrado padre, menester instrumentos para aplacar mi dolor, sino campanas para sepultar mi cuerpo. Si me escuchas sin lágrimas, oyrás la causa desesperada de mi forçada y alegre partida. No la interrumpas con lloro ni palabras, si no, quedarás mas quexoso en no saber por qué me mato, que doloroso por verme muerta. Ninguna cosa me preguntes ni respondas más de lo que de mi grado dezirte quisiere, porque quando el coraçón está embargado de passión, están cerrados los oýdos al consejo. Y en tal tiempo las fructuosas palabras, en lugar de amansar, acrescientan la saña. Oye, padre viejo, mis últimas palabras, y si como yo spero, las recibes, no culparás mi yerro. Bien ves y oyes este triste y doloroso sentimiento que toda la cibdad haze. Bien oyes este clamor de campanas, este alarido de gentes, este aullido de canes, este [grande] strépito de armas. De todo esto fue yo [la] causa. Yo cobrí de luto y xergas en este día quasi la mayor parte de la cibdadana cavallería; yo dexé [hoy] muchos sirvientes descubiertos de señor; yo quité muchas raciones y limosnas a pobres y envergonçantes. Yo fui ocasión que los muertos toviessen compañía del más acabado hombre que en gracias nació. Yo quité a los vivos el dechado de gentileza, de invenciones galanas, de atavíos y bordaduras, de habla, de andar, de cortesía, de virtud. Yo fui causa que la tierra goze sin tiempo el más noble cuerpo y más fresca juventud que al mundo era en nuestra edad criada.

Tareas • Tareas

a cambio de..
a mano ....
a punto ....
abad, abadesa (el, la) ....
abandonar ....
ablandar ....
abrazar; abrazo (el)...
....
abrigo (el) ....
abrir; abierto, a; abiertamente...............................
....
....
abuelo, a (el, la) ....
acabar ....
accidente (el)...... ....
aceite (el) ....
acercar ....
acierto (el)...
aclarar ....
acompañar ....
aconsejar..
acontecimiento (el)...
acordar; acuerdo (el)...
....
acostar(se) ....
acto (el)..
acumulado, a..
además...
adentro ....
adiós ....
adivinar ....
admitido, a..
adonde; adónde..
....
adorar...
adquirir ....
adversario, a (el, la); adversidad (la)......................
....
afirmar..
afuera ....
agarrar..
agraciado, a..
agradar; agradable...
....
agradecer ....
agua (el) (plural: las aguas) ....
agujero (el)...
airado, a...

aire (el)..
ajeno, a ....
ala (el) (plural: las alas) ....
alabanza (la)..
alacrán (el)...
alcahueta (la)...
alcanzar ....
alcoholado, a..
alegrar; alegría (la); alegre ....
....
....
alejar ....
alerta ....
alguacil (el) ....
alimento (el) ....
alinde (el)...
aliviar; alivio (el) ....
....
alma (el) (plural: las almas) ....
almohada (la) ....
alquiler (el)...
altar (el)..
alterado, a ....
alto, a ....
alusión (la) ....
amable ....
amanecer..
amar; amador, -a (el, la); amante (el, la); amor (el); amo-
roso, a..
....
....
amargo, a ....
ambos, as...
amistad (la); amigo, a (el, la) ....
amo, a (el, la)...
andar; andar en palabras..
....
ángel (el); angélico, a...
....
ángulo (el)..
animal (el)..
ánimo (el)...
anoche ....
ante; antes ....
....
antepasados (los)...

Tu diccionario

Nivel III, hasta 1.500 entradas en la obra adaptada.

antepuerta (la) ....

antiguo, a ....

añadir ....

año (el) ....

apagar ....

aparecer ....

apartar ....

apasionado, a; apasionadamente ....
....

apenar ....

apenas ....

apoyado, a ....

apreciado, a ....

aprender ....

apresurarse ....

apretar ....

apropiado, a ....

aproximadamente ....

árbol (el) ....

arca (el) (plural: las arcas) ....

arco (el) ....

arder; arder en amores; ardiente ....
....
....

arma (el) (plural: las armas) ....

arrancar ....

arreglar(se); arreglo (el) ....
....

arrepentirse; arrepentido, a ....
....

arriba ....

arrugado, a ....

arte (el) (plural: las artes) ....

artero, a ....

asco (el) ....

así (es) que; así sea ....
....

asimismo ....

asno, a (el, la) ....

asombrar; asombro (el); asombrado, a ....
....

astucia (la); astuto, a ....
....

asunto (el) ....

atado, a ....

atento, a ....

atmósfera (la) ....

atormentar ....

atrapar ....

atrás ....

atreverse; atrevimiento (el) ....
....

aumento (el) ....

ausencia (la); ausente ....
....

autoridad (la) ....

avanzado, a ....

avaricia (la); avariento, a ....
....

ave (el) (plural: las aves) ....

avisar ....

avivar ....

ayer ....

ayudar ....

ayunas (en) ....

azotar; azote (el) ....
....

azotea (la) ....

bajar ....

bajo, a ....

balar ....

barba (la) ....

barco (el) ....

barriga (la) ....

barrio (el) ....

basta; bastante ....

beber; bebida (la) ....
....

bellaco, a (el, la) ....

belleza (la); bello, a ....
....

bendecir ....

beneficio (el) ....

besar(se); beso (el) ....
....

bestia (la) ....

bien; bienes (los); bienestar (el); bienvenida (la) ....
....
....

bienaventurado, a ....

blancura (la); blanco, a ....

blando, a ....

bobo, a...............

boca (la); boquilla (la)...............
....

boda (la)...............

bolsa (la)...............

bondad (la)...............

bonito, a...............

borracho, a...............

bote (el)...............

bravo, a...............

brazo (el)...............

breve; brevemente...............
....

brillante...............

brujo, a (el, la)...............

bruto, a...............

buen(o), a...............

burro, a (el, la)...............

buscar...............

caballo (el); caballero (el)...............
....

cabello (el)...............

caber...............

cabeza (la); cabecera (la)...............
....

cabrón, cabra (el, la)...............

cacarear...............

cada...............

cadena (la)...............

caer(se); caída (la)...............
....

caja (la)...............

calabaza (la)...............

calentar; calentador (el); caliente...............
....
....

calidad (la)...............

callar...............

calle (la)...............

calmar...............

calor (el)...............

calzar; calzas (las)...............
....

cama (la)...............

cambiar; cambio (el); (a) cambio (de)...............
....
....

camino (el); caminante (el, la)...............
....

camisa (la)...............

campana (la); campanada (la)...............
....

campo (el)...............

cana (la)...............

cansar(se); cansancio (el)...............
....

cantar; canción (la)...............
....

cantidad (la)...............

capa (la)...............

capacidad (la); capaz...............
....

capitán, -a (el, la)...............

cara (la)...............

característica (la)...............

carecer...............

cargar...............

carne (la); carnívoro, a...............
....

carnero (el)...............

caro, a...............

carta (la)...............

casa (la)...............

casar(se); casamiento (el)...............
....

casi...............

caso (el)...............

castigar; castigo (el)...............
....

católico, a...............

causar; causa (la)...............
....

cazar; caza (la)...............
....

ceguera (la); ciego, a...............
....

celebración (la)...............

celoso, a...............

cenar...............

centígrado...............

centro (el)...............

cerca...............

cerebro (el)...............

cerrar...............

certificar...............

charco (el)..

chico, a (el, la)..

cielo (el); celestial...

....

cierto, a...

cincha (la)...

cinta (la)..

cintura (la)...

cirujano, a (el, la)..

ciudad (la)..

claridad (la); claro, a...

....

clase (la)..

clavo (el)..

cliente, a (el, la)..

cobardía (la); cobarde...

....

cobrar..

cocina (la)..

codicia (la); codicioso, a...

....

coger...

cola (la)..

colgado, a..

collar..

coloquial..

color (el); colorado, a..

....

comedia (la)...

comenzar; comienzo (el)..

....

comer; comida (la)...

....

cometido (el)..

compañía (la); compañero, a (el, la)..............................

....

comparar; comparación (la)...

....

compasión (la)...

compenetrado, a..

comprar..

común..

comunicar; comunicación (la)..

....

comunidad (la)...

(con) respecto a...

conceder..

concierto (el)..

conclusión (la)...

condenar..

condición (la)..

confesión (la); confesor (el)...

....

confiar...

confirmar..

conjunto (el)...

conjurar; conjuro (el)...

....

conocer..

consecuencia (la)...

conseguir..

consejo (el); consejero, a (el, la)....................................

....

consentir..

conservar; conserva (la)..

....

considerar...

consistir..

consolar; consuelo (el); consolación (la); consolador, -a

(el, la)...

....

....

contar..

contener..

contento, a..

continuar; continuamente..

....

contra; contradecir; contrario, a.....................................

....

....

convertido, a...

coraje (el)..

coraza (la)...

corazón (el)...

cordero (el)...

cordón (el)..

corona (la)...

corporal...

correr..

correspondiente..

cortar; corte (el); cortante..

....

....

corteza (la)..

corto, a..

cosa (la) ....
coser ....
cosquillas (las) ....
costar ....
costumbre (la) ....
creado, a ....
crecer ....
creer ....
crema (la) ....
criado, a (el, la) ....
criar ....
cristianismo (el); cristiano, a (el, la) ....
....
crítica (la) ....
crueldad (la); cruel; cruelmente ....
....
....
cualquier; cualquiera ....
....
cuarto (el) ....
cuarto, a ....
cubrir; cubierto, a ....
....
cuchillada (la) ....
cuello (el) ....
cuenta (la) ....
cuento (el) ....
cuerda (la) ....
cuerdo, a ....
cuero (el) ....
cuerpo (el) ....
cuidado (el) ....
culpar; culpable (el, la) ....
....
cultivo (el) ....
cumplir ....
cura (el) ....
curar ....
dañar; daño (el) ....
....
dar; dar cuenta(s) ....
....
debajo ....
deber ....
débil ....
décimo, a ....
decir ....
dedicado, a ....

dedo (el) ....
defecto (el) ....
degollado, a ....
dejar ....
delante ....
delgado, a ....
delicado, a ....
delito (el) ....
demanda (la) ....
demás; demasiado, a ....
....
dentro ....
depender ....
derecha (la) ....
derramar ....
derribar ....
desamor (el) ....
desaparecer ....
desarmar ....
desastre (el) ....
descalabro (el) ....
descansar; descanso (el) ....
....
descendencia (la) ....
descolgar ....
descolorido, a ....
desconfianza (la) ....
desconsolado, a ....
descubrir; descubierto, a ....
....
desdichado, a ....
desear; deseo (el) ....
....
desesperar; desesperación (la) ....
....
desgracia (la); desgraciado, a ....
....
desgreñado, a ....
desleal ....
desnudar ....
desocupado, a ....
despacio ....
despedazado, a ....
despedir(se); despedida (la) ....
....
despertar(se); despierto, a ....
....

despido (el)..
después...
destinado, a..
desvergonzado, a..
detener(se)...
determinado, a...
detrás...
devolver...
día (el)..
diablo, diablesa (el, la)...
dichoso, a...
diente (el)...
difícil; dificultad (la)...
....
digno, a..
diminutivo (el)..
dinero (el)..
Dios...
directo, a..
discípulo, a (el, la)..
discreción (la); discreto, a......................................
....
disculpa (la)..
discutir...
disimular; disimuladamente......................................
....
disponer...
distancia (la)...
doblar...
docena (la)...
doler; dolor (el); dolorido, a; doloroso, a...................
....
....
....
don (el)...
don, doña...
doncella (la)..
dormir; dormilón, -a (el, la).....................................
....
dudar; duda (la); dudoso, a......................................
....
....
dulzura (la); dulce..
....
duodécimo, a..
durante...
duro, a...

echar..
edad (la)...
edificar...
efecto (el)...
ejemplo (el)..
elegir..
embajador, -a (el, la)...
emitir..
empezar..
emplear; empleado, a (el, la)....................................
....
empresa (la)...
empujar..
enamorar(se)..
encargar...
encender..
encerrado, a...
encinta...
encomendar...
encontrar; encuentro (el)...
....
enemigo, a (el, la)...
enfadar(se); enfado (el)...
....
enfermedad (la); enfermo, a (el, la)..........................
....
engañar; engañador, -a (el, la); engaño (el)...............
....
....
engendrar...
enmendarse..
enorme...
enredarse; enredo (el)...
....
enseñar..
entender(se); entendido, a.......................................
....
entero, a...
enterrar..
entonces...
entrar...
envejecer...
enviar...
envidia (la)...
envuelto, a...
época (la)...
equivocarse..

errar; error (el)...

....

escala (la); escalera (la); escalón (el).............................

....

....

escandalizar...

escapar(se)..

esclavo, a (el, la)...

escoger...

esconder(se)..

escorpión (el)...

escribir; escrito, a..

....

escuchar...

espada (la)..

espalda (la)...

espantado, a..

especial..

especie (la)..

espejo (el)...

esperanza (la)...

esperar..

espíritu (el)..

espuela (la)...

esquina (la)...

estado (el)...

estar...

estimar...

estómago (el)..

estrecho, a..

estrella (la)..

estribo (el)...

estudiar...

evitar(se)..

exagerado, a..

excelente..

exclamación (la)...

excusa (la)..

existir..

experiencia (la); experimentado, a..................................

....

explicar; explicación (la)...

....

expresar; expresión (la)..

....

expulsión (la)...

extranjero, a (el, la)..

extraño, a (el, la)...

extremo (el)...

fabricar..

facciones (las)..

fácil; fácilmente...

....

falda (la)..

falso, a..

faltar..

fama (la)..

familia (la); familiar; familiarmente..................................

....

fantasía (la)...

fatigar(se); fatiga (la)..

....

favor (el); favorable...

....

feliz...

femenino, a...

feo, a..

feria (la)...

ferocidad (la); fiero, a..

fiar..

fidelidad (la); fiel...

fiesta (la)...

figurado, a..

fijo, a...

filosofar; filosofía (la); filósofo, a (el, la).........................

....

fin (el); final (el); finalmente.......................................

....

fingir; fingidamente...

....

fino, a...

firmar...

flaco, a..

flecha (la)..

flojo, a..

flor (la)...

fórmula (la)...

fortuna (la)...

forzar...

Tu diccionario

Nivel III, hasta 1.500 entradas en la obra adaptada.

frágil...............	gratis...............
fraile (el)...............	gravedad (la); grave...............
francés, francesa	
franco, a	gritar; grito (el)...............
frecuencia (la)	....
frente...............	grueso, a ....
frescor (el); fresco, a	guardar...............
....	guerra (la) ....
frío (el)	guiar...............
fruta (la); frutales (los); fruto (el)...............	guisar...............
....	gustar; gusto (el)...............
....	
fuego (el)...............	haber...............
fuente (la)...............	hábil...............
fuerza (la); fuerte	habitar; habitación (la) ....
....	....
gallo, gallina (el, la)	hablar...............
ganado (el)...............	hacer; hecho (el) ....
ganar; ganancia (la)...............	....
....	hacha (el) (plural: las hachas)...............
garganta (la)	hacienda (la) ....
gastar	halcón (el)...............
gato, a (el, la)	hallar...............
general; generalmente	hechicero, a (el, la) ....
....	helado, a ....
género (el)...............	hembra (la)...............
generoso, a	herencia (la) ....
gente (la)	herida (la); herido, a...............
gentileza (la); gentil	....
....	hermano, a (el, la) ....
gentilhombre (el)...............	hermosura (la); hermoso, a ....
gerundio (el)	....
gesto (el)...............	herramienta (la) ....
gloria (la); glorioso, a	hervir...............
....	hierba (la)...............
golpe (el)...............	hierro (el) ....
gordo, a...............	hijo, a (el, la)...............
gota (la)...............	hilo (el); hilado (el) ....
gozar; goce (el); gozo (el)	....
....	hinchar...............
....	hoja (la)...............
gracia (la); gracioso, a	hombre (el) ....
....	hombro (el) ....
gracias	honestidad (la) ....
gran(de)	honor (el) ....
grana (la)...............	hora (la) ....
	hoy...............

Tu diccionario

huerta (la); huerto (el) ....

....

hueso (el) ....

huir ....

humanidad (la); humano, a ....

....

humildemente ....

hundir ....

idea (la) ....

iglesia (la) ....

ignominioso, a ....

ignorar; ignorancia (la); ignorante...........

....

....

igual ....

imaginar; imagen (la) ....

....

impedir ....

imperfecto, a ....

imponer ....

importancia (la); importante ....

....

imposible ....

impregnar ....

inclinar ....

incluso ....

incomparable ....

inconveniente (el) ....

increíble ....

incurable ....

indicar ....

indignar; indigno, a ....

....

inesperado, a ....

inferior ....

infierno (el) ....

ingenio (el) ....

injusticia (la) ....

inocencia (la); inocente ....

....

insistencia (la) ....

instalar ....

instrumento (el) ....

insultar ....

intención (la) ....

interesar ....

interior (el) ....

interrumpir ....

inútil ....

invierno (el) ....

invitar ....

ir ....

izquierda (la) ....

jamás ....

jarro (el); jarrillo (el) ....

joya (la) ....

jugar; juego (el) ....

....

juntar; junto, a ....

....

jurar ....

juventud (la); joven (el, la) ....

....

juzgar; juicio (el); justicia (la); justo, a .....

....

....

....

lado (el) ....

ladrar ....

ladrón, -a (el, la) ....

lágrima (la) ....

lamentar(se) ....

lanzar ....

largo, a; largamente ....

....

lavar ....

lealtad (la); leal ....

....

legua (la) ....

legumbre (la) ....

lejos ....

lengua (la) ....

lento, a ....

leña (la) ....

letra (la); letrado, a (el, la) ....

....

levantar(se) ....

ley (la) ....

librar; libertad (la); liberal; libre ....

....

....

Tu diccionario

Nivel III, hasta 1.500 entradas en la obra adaptada.

limpiar; limpieza (la); limpio, a; limpiamente ....
....
....
....
linaje (el) ....
lindo, a ....
línea (la) ....
lío (el) ....
líquido (el) ....
llaga (la) ....
llama (la) ....
llamar(se) ....
llano, a ....
llave (la) ....
llegar ....
llenar ....
llevar(se) ....
llorar; llanto (el) ....
....
llover; lluvia (la) ....
....
lobo, a (el, la) ....
locura (la); loco, a ....
....
lógico, a ....
longitud (la) ....
luchar ....
luego ....
lugar (el) ....
lujuria (la) ....
luna (la) ....
luto (el) ....
luz (la) ....
macho (el) ....
madera (la) ....
madre (la) ....
madrugar ....
maduro, a ....
maestro, a (el, la) ....
magia (la) ....
magnífico, a ....
mal (el); maldad (la); malo, a ....
....
....
maldecir; maldiciente (el, la) ....
....
malhechor, -a (el, la) ....
maltratar ....

mamífero (el) ....
mandar ....
manera (la) ....
mano (la) ....
manso, a ....
mantel (el) ....
mantener(se) ....
manto (el) ....
mañana (la) ....
maravedí (el) ....
maravillar; maravilla (la); maravilloso, a ....
....
marca (la) ....
marchar(se) ....
marido (el) ....
masculino, a ....
masticar ....
matar; matador, -a (el, la) ....
....
material (el) ....
mayores (los); mayor ....
....
medicina (la); médico, a (el, la) ....
....
medida (la) ....
medio, a; mediodía (el) ....
....
mejor ....
memoria (la) ....
menos; menor ....
....
mensaje (el); mensajero, a (el, la) ....
....
mentir; mentira (la); mentiroso, a ....
....
....
mercado (el) ....
merced (la) ....
merendar ....
mes (el) ....
mesa (la) ....
mesón (el); mesonero, a (el, la) ....
....
metálico, a ....
meter(se) ....
miedo (el); miedoso, a ....
....

miel (la).....................................

miembro (el) ....

mientras ....

ministro, a (el, la).........................

mirar ....

misa (la)......................................

miseria (la); miserable ....

....

misericordia (la)...........................

mismo, a ....

mitad ....

mocedad (la); mozo, a (el, la) ....

....

modo (el) ....

molestar, molestia (la); molesto, a..............................

....

momento (el)................................

monasterio (el).............................

moneda (la) ....

montar...

morder; mordedura (la) ....

....

morir(se); mortal ....

....

mostrar..

motivo (el)....................................

mover ....

muchacho, a (el, la) ....

mucho, a ....

mudarse ....

mudo, a ....

mueble (el) ....

muela (la) ....

muerte (la); muerto, a...................

....

mujer (la) ....

mundo (el) ....

murciélago (el)..............................

murmurar ....

muro (el) ....

música (la) ....

nacer ....

nada; nadie..................................

....

nariz (la)......................................

naturaleza (la); natural.................

....

neblí (el)......................................

necesitar; necesidad (la); necesario, a......................

....

necio, a ....

negar(se).....................................

negocio (el) ....

negro, a ....

nieve (la) ....

ningún(o), a ....

niño, a (el, la)..............................

nobleza (la); noble........................

....

noche (la) ....

nombrar; nombre (el) ....

....

notar..

noticia (la) ....

novedad (la); nueva (la), nuevo, a.................

....

noveno, a ....

nube (la) ....

nudo (el) ....

número (el) ....

nunca ....

obedecer ....

obligar..

obra (la) ....

obtener ....

ocasión (la) ....

octavo, a......................................

ocultar; oculto, a; ocultamente ......

....

....

ocupar ....

ocurrir ....

odio (el); odioso, a........................

....

ofender; ofensa (la) ....

....

oficialmente..................................

oficio (el)......................................

ofrecer; ofrecimiento (el) ....

....

oír; oído (el) ....

....

ojo (el) ....

Tu diccionario

Nivel III, hasta 1.500 entradas en la obra adaptada.

oler; olor (el) ....

olvidar(se) ....
opinión (la) ....
oportunidad (la); oportuno, a ....

oración (la) ....
ordenar; orden (el) ....

oreja (la) ....
órgano (el) ....
oro (el) ....
osadía (la); osado, a ....

oscuridad (la); oscuro, a ....

oveja (la) ....
paciencia (la) ....
padecer ....
padre (el) ....
pagar; pago (el) ....

país (el) ....
pájaro (el) ....
palabra (la); palabrilla (la) ....

palacio (el) ....
palmada (la) ....
palo (el) ....
pan (el) ....
paño (el); pañuelo (el) ....

papel (el) ....
par (el) ....
paraíso (el) ....
parar(se) ....
parecer ....
pared (la) ....
pariente, a (el, la) ....
parir ....
parroquia (la) ....
parte (la); partícula (la) ....

partir; partida (la) ....

pasar; pasado (el) ....

pasear ....

pasión (la) ....
paso (el) ....
pastor, -a (el, la) ....
patada (la) ....
paz (la) ....
pecado (el); pecador, -a (el, la) ....

pecho (el) ....
pedazo (el) ....
pedir ....
pegado, a ....
pelear; pelea (la) ....

peligro (el); peligroso, a ....

pelo (el) ....
penar; pena (la) ....

pensar; pensamiento (el) ....

peña (la) ....
peor ....
pequeño, a ....
perder(se); perdición (la); pérdida (la) ....

perdonar; perdón (el) ....

perezoso, a ....
perfecto, a; perfectamente ....

perfumar; perfume (el) ....

período (el) ....
perla (la) ....
permitir; permiso (el) ....

perro, a (el, la) ....
perseguir ....
persona (la); personal ....

pesar ....
pescar; pez (el) ....

pie (el) ....
piedra (la) ....
piel (la) ....
pierna (la) ....

LECTURAS CLÁSICAS GRADUADAS   130

pieza (la) ....

pintar ....

pisar ....

placer (el) ....

plantar; planta (la) ....

plata (la) ....

plaza (la) ....

pluma (la) ....

población (la) ....

pobreza (la); pobre ....

poco, a ....

poder; poder (el); poderoso, a ....

policía (la) ....

polvo (el) ....

pomada (la) ....

poner ....

popular ....

porvenir (el) ....

posada (la) ....

poseer ....

posible ....

posición (la) ....

practicar ....

precio (el) ....

precioso, a ....

precisamente ....

preferir ....

pregonar; pregón (el) ....

preguntar(se) ....

premio (el) ....

prenda (la) ....

preñada ....

preparar ....

presencia (la); presente; presentado, a ....

presumir ....

primer(o), a ....

primo, a (el, la) ....

principal ....

principio (el) ....

prisa (la) ....

prisionero, a (el, la) ....

problema (el) ....

prohibido, a ....

prometer; promesa (la); prometido, a ....

pronto ....

propio, a ....

protestar ....

provecho (el); provechoso, a ....

provocar ....

prudencia (la) ....

prueba (la) ....

publicar; público; a; públicamente ....

pueblo (el) ....

puerta (la) ....

puesto (el); puesto, a ....

punta (la) ....

punto (el) ....

puro, a ....

puto, a ....

quedar ....

quejarse; queja (la) ....

quemar ....

querer; querido, a ....

quien ....

quieto, a ....

quinto, a ....

quitar ....

quizá(s) ....

rana (la) ....

rápido, a; rápidamente ....

raro, a ....

rascar ....

rato (el) ....

ratón (el) ....

raya (la) ....

razonar; razón (la); razonable ....

realidad (la) ....

realizar ....

rebuznar ....

recibir; recibimiento (el) ....

recipiente (el) ....

recompensa (la) ....

reconocer ....

recordar; recuerdo (el) ....

red (la) ....

refrán (el) ....

regalar; regalo (el) ....

regañar ....

regla (la) ....

regresar ....

regularidad (la) ....

reír; risa (la) ....

relación (la) ....

religión (la); religioso, a ....

reliquia (la) ....

reloj (el) ....

remediar; remedio (el) ....

renovar ....

reñir ....

repartir ....

repetidamente ....

reposar; reposo (el) ....

reprender ....

representar ....

reptil (el) ....

respeto (el) ....

responder; respuesta (la) ....

resultar; resultado (el) ....

resumen ....

reunir; reunión (la) ....

reverencia (la) ....

rey, reina (el, la) ....

rezar ....

rigor (el) ....

rincón (el) ....

río (el) ....

riqueza (la); rico, a ....

robar ....

roca (la) ....

rodilla (la) ....

rogar ....

rojo, a ....

romper; roto, a ....

ronco, a ....

ropa (la) ....

rostro (el) ....

rueda (la) ....

ruego (el) ....

rufián, -a (el, la) ....

ruido (el) ....

sábana (la) ....

saber; sabio, a (el, la) ....

sabor (el) ....

sacar ....

sacerdote (el) ....

sal (la) ....

sala (la) ....

salario (el) ....

salir ....

salsa (la) ....

saltar; salto (el) ....

salud (la) ....

saludar; saludo (el) ....

salvaje (el, la) ....

salvar ....

sanar; sano, a ....

sangre (la) ....

santo, a (el, la) ....

sastre, a (el, la) ....

seco, a ....

secretario, a (el, la) ....

secreto, a; secretamente ....

Tu diccionario

sed (la) ....

seda (la) ....

seguir ....

según ....

segundo, a ....

seguridad (la); seguro, a ....

....

semejante (el, la) ....

sentar(se) ....

sentido (el) ....

sentir; sentimiento (el) ....

....

señalar; seña (la); señal (la) ....

....

....

señor, -a (el, la) ....

separar(se) ....

séptimo, a ....

sepulcro (el) ....

sepultura (la) ....

ser ....

serpiente (la) ....

servir; servicio (el); servidor, -a (el, la); sirviente, a (el, la)

....

....

....

....

seso (el) ....

severidad (la) ....

sexto, a ....

sexual ....

siempre ....

signo (el) ....

silencio (el) ....

silla (la) ....

simpleza (la); simple ....

....

sin ....

sincero, a ....

singular ....

siquiera ....

sitio (el) ....

situación (la) ....

sobrar ....

sobresalto (el) ....

sol (el) ....

soledad (la); solo, a ....

....

soler ....

sólo; solamente ....

....

soltar ....

solución (la) ....

sombra (la) ....

sonar; sonido (el) ....

....

soñar; sueño (el) ....

....

sordo, a ....

sorprender; sorpresa (la) ....

....

sospecha (la) ....

sostener ....

suave ....

subir ....

suciedad (la) ....

sueldo (el) ....

suelo (el) ....

suelto, a ....

suerte (la) ....

suficiente ....

sufrir; sufrimiento (el) ....

....

sujetar ....

suspirar; suspiro (el) ....

....

sustancia (la) ....

susto (el) ....

taberna (la) ....

tabla (la) ....

talón (el) ....

tamaño (el) ....

también ....

tan; tanto, a ....

tapar ....

tardar ....

tarde (la) ....

tela (la) ....

temblar ....

temer; temor (el) ....

....

tempestad (la) ....

templo (el) ....

temprano, a ....

tendido, a ....

tener.....................................
tercer(o), a.....................................
terminar.....................................
terreno (el).....................................
terrible.....................................
tesoro (el).....................................
testigo (el, la).....................................
testimonio (el).....................................
teta (la).....................................
tiempo (el).....................................
tienda (la).....................................
tierra (la).....................................
tocar.....................................
todavía.....................................
todo, a.....................................
todopoderoso, a.....................................
tomar.....................................
tontería (la); tonto, a.....................................
....
toque (el).....................................
tormento (el).....................................
toro (el).....................................
torpe.....................................
torre (la).....................................
trabajar; trabajo (el); trabajador, -a (el, la).....................................
....
traer.....................................
tragar.....................................
traición (la); traidor, -a (el, la).....................................
....
trampa (la).....................................
tranquilidad (la); tranquilo, a.....................................
....
tras.....................................
tratar; trato (el).....................................
....
trigo (el).....................................
tristeza (la); triste.....................................
....
tropezar.....................................
trotaconventos (la).....................................
trozo (el).....................................
último, a.....................................
undécimo, a.....................................
ungüento (el).....................................
único, a.....................................
unir; unión (la).....................................

uña (la).....................................
usar.....................................
utilizar.....................................
uva (la).....................................
valentía (la); valiente.....................................
....
valer.....................................
valle (el).....................................
valor (el).....................................
varón (el).....................................
vecino, a (el, la).....................................
vejez (la); viejo, a.....................................
....
velo (el).....................................
vena (la).....................................
vencer.....................................
vender.....................................
veneno (el); venenoso, a.....................................
....
vengar; venganza (la).....................................
....
venir.....................................
ventaja (la).....................................
ventana (la); ventanilla (la).....................................
....
ver; vista (la); visto, a.....................................
....
verbo (el).....................................
verdad (la); verdadero, a; verdaderamente.....................................
....
verdugo (el).....................................
vergüenza (la); vergonzoso, a.....................................
....
vestir; vestido (el).....................................
....
vez (la).....................................
víbora (la).....................................
vicio (el); vicioso, a.....................................
....
vida (la).....................................
viento (el).....................................
vientre (el).....................................
vigésimo, a.....................................
vigilante.....................................
vino (el).....................................

viña (la)..

violento, a ....

virginidad (la); virgo (el); virgen ....

....

....

virtud (la) ....

visitar; visita (la)..

....

vivienda (la) ....

vivir; vivo, a..

....

volar..

voluntad (la); voluntariamente............................

....

volver ....

voz (la) ....

vuelta (la) ....

vulgar..

Guía de comprensión lectora.

1 ¿Cómo y dónde se conocen Calisto y Melibea? ....
....

2 ¿Quién es el primero que habla de Celestina? ....
....

3 ¿Por qué conoce Pármeno a Celestina? ....
....

4 ¿Cuál es el principal oficio de Celestina? ....
....

5 ¿Cómo reacciona Melibea cuando Celestina le dice para qué ha venido a verla? ....
....

6 ¿Qué le da Melibea a Celestina y cómo le paga Calisto su trabajo? ....
....

7 ¿Qué hace Celestina para convencer a Pármeno? ....
....

8 ¿Quién viene a buscar a Celestina, cuando están comiendo, para que vaya a ver a Melibea? ....
....

9 ¿Qué consejos le da Alisa a su hija? ....
....

10 ¿Cómo mueren Celestina, Pármeno y Sempronio? ....
....
....

11 ¿De qué manera piensan vengarse Areúsa y Elicia? ....
....

12 ¿Cómo actúa Centurio? ¿Es leal y sincero con su amiga? ....
....

13 ¿Quién es Traso? ¿Qué tiene que hacer? ....
....

14 ¿Cómo muere Calisto? ....
....

15 ¿Por qué se mata Melibea tirándose desde una torre? ....
....

Escribe tu ficha RESUMEN

Pág.